CHANTAUTEUIL

Cet ouvrage a été publié grâce à l'aide financière
du Conseil des arts du Canada, du ministère
de la Culture et des Communications du Québec
et des Amis du Chantauteuil.

Reproduction de l'œuvre sur la couverture : Yves Bussier

Le Loup de Gouttière
347, rue Saint-Paul
QUÉBEC (QUÉBEC)
G1K 3X1
(418) 694-2224

Dépôt légal, 4e trimestre 1994
Bibliothèque nationale du Québec
Bibliothèque nationale du Canada
ISBN 2-921310-46-5
Imprimé au Québec

Catherine Lalonde • Pierre Giguère
Claude Binet • Jean Dorval
Nando Michaud • Geneviève De Celles
Claudine Lévesque

CHANTAUTEUIL

Œuvres
Micheline Fournier • Yves Bussier
Marie Rioux • Benoit Simard
Daniel Fournier • Geneviève De Celles

Le Loup de Gouttière

Vingt-cinq ans de parlure, d'amitié, d'expositions, de discussions et de... bagarres, de théâtre, de poésie, de brassage d'idées et de houblon ! Le Chantauteuil a 25 ans. Petit bar mythique de la rue Saint-Jean, lieu de rendez-vous de la faune artistique du Quartier latin des années 1970, le Chantauteuil ne pouvait laisser passer cette occasion de fêter la créativité et la vie artistique à Québec.

Sur une idée lancée par Luc Archambault avec la complicité active de Gilles Arteau, Jean Brouillard, Myriam Magnan, Paul Racine, Marie Rioux, Denis LeBrun et le parrainage d'honneur de Gilles Vigneault sont donc nés les prix littéraires du Chantauteuil. Une seule contrainte aux participants : citer le Chantauteuil dans le texte au moins une fois.

Chansons, poésie, théâtre, nouvelles, livret d'opéra, prose... cent soixante-quinze manuscrits de tous genres furent soumis !

Des heures et des heures de bonne lecture pour le jury, mais aussi un choix difficile : de cent soixante-quinze à soixante; puis de soixante à vingt; et enfin de vingt à cinq finalistes... pour enfin décerner un grand prix et quatre mentions.

Ce sont ces cinq textes que vous trouverez dans le présent recueil en compagnie de deux autres choisis par l'éditeur parmi les vingt finalistes. Nous espérons que vous trouverez autant de plaisir que nous à les lire.

DENIS LEBRUN
président du jury

Sans titre
Micheline Fournier

LES PETITES SOLITUDES

Catherine Lalonde

Née neuf ans après l'inauguration du Chantauteuil, CATHERINE LALONDE a, en outre, mérité le prix littéraire Critère 1991 pour son recueil de poésie *Jeux de brume*. Boursière à l'École de danse de Québec, elle participe régulièrement à des récitals de poésie tout en manifestant un intérêt marqué pour l'art sous toutes ses formes.

Les solitaires ont des chemins précis comme du papier à musique, toujours les mêmes. Les heures bleues vertes ou mauves, la terrasse le marché la librairie. Chaque jour des douceurs réduites, rhum au beurre chaud pour réchauffer chocolat-crème pour éveiller. Les trajets, les lieux. Des cafés, cachés dans le giron creux des rues, des refuges, ouverts. Retrouver les visages connus, rassurants, les yeux bleus verts ou mauves, le travail la buanderie le Chantauteuil. Le Chantauteuil. Un nom de bateau ou de sorcière – c'est la même chose. Les femmes sont des bateaux, elles mettent les voiles maintenant, elles foutent le camp, et la nuit font des échappées belles sur la pointe des pieds. Pour un homme difficile de supporter. Le Chantauteuil, un nom de femme ou d'absence, de toute façon.

Dans le café les tables. Le comptoir les chaises. Sous certaines pattes une affiche repliée, niveler la table. La vue, ou bien sur la rue, ou bien sur la rue à travers le miroir. La banquette en coin de fenêtre en coin de mur, vue sur la rue sur la mer, et sur la salle. Mais pas l'hiver la banquette, l'hiver la fenêtre est froide, mal scellée mal calfeutrée. L'hiver les interstices sont difficiles à supporter, entre le bois et la fenêtre, entre le corps et le corps. L'hiver la tasse doit venir vite entre les mains, un réconfort de porcelaine, chaud le café chaud. Ou alors, ou alors choisir le banc dos au miroir, pieds au calorifère. Sur le soleil exactement. La tiédeur, enfin, sans le foulard et sans les gants.

Sortir le crayon et le papier, chercher le journal. Attendre les distractions : la porte s'ouvre le client entre. Il choisira cette place, ou celle-ci. Les solitaires n'ont pas besoin de signes de tête pour se reconnaître. Sur chacun, poser un nom et une histoire inventée. Il y a le Rat il y a Glenn Gould il y a. Donner un nom comme donner un cadeau, donner un nom : faire une petite place, défricher le terrain, sortir les draps propres. Les solitaires ont dans les yeux une équation triste qui ne finit pas par deux. Ils ont l'espace le manque la liberté, ils ont. Dans le café, les habitués : leurs têtes penchées, leurs livres lus, la couleur de leurs manteaux. Plus facile à observer de dos, plus discret.

Les dos. J'aime les carrures, les épaules. Les omoplates, des coquilles d'huître séparées-fermées ouvertes fermées. Les omoplates : ma seule preuve que l'autre respire, l'homme dans mon lit, l'homme avec dans son sommeil le rien autour, immobile. Son sommeil est silencieux. De dos, la peur me prend, la peur de la mort la peur de sa mort soudain, la peur d'enfant, qui ne s'arrête plus. Je panique, les yeux ouverts grands à côté, sans lumière je cherche les mouvements, sur l'édredon le ricochet du souffle, le rythme lent des objets qui répondent. Je coupe ma respiration, ne pas couvrir la sienne, je cherche les frôlements. J'ai peur. La tendresse c'est ma mort sans les mots, je n'existe pas de dos, la tendresse immobile c'est la petite mort, les paroles répétées et *mon amour* ne veut plus rien dire, les gestes les caresses, toujours les mêmes là où on sait, jusqu'à creuser les rides. Son dos, un petit réconfort, ma force faïence. Ses épaules ses omoplates-ouvertes fermées ouvertes. Il respire ! Je peux reposer mon coude mon bras ma tête. Il respire, j'entends. Dans la nuit alors la nuit se fait avec calme.

Sur la table, la tasse sur le journal replié, plus loin la soucoupe, la cuillère, le verre vide d'eau. Les menus objets, crayons et livres, les manipulations quotidiennes. Les mains toutes seules savent quelles formes prendre, en regardant ailleurs même, en ne regardant pas. Les gestes minimes : tous les jours dans la poche trouver la clé la serrure, allumer la lumière, ôter les souliers, des années de pratique. Le savoir simple des mains, tout le mouvement du monde tout le savoir dans la paume et les doigts, sauf dans le désir. Sauf dans l'amour, dans d'autres mains soudain aussi malhabiles, aussi perdues.

Dans le café le Chantauteuil, les tables noires lustrées, presque des miroirs. La bouche le nez les yeux, à leur place. La ligne des sourcils. L'engourdissement du pied gauche, la page écornée, et *c'est moi* ne veut pourtant rien dire.

L'ennui c'est l'absence d'oubli. L'absence d'oubli la vie est ailleurs l'impasse des deux anges, l'ennui c'est le quotidien en manège. La course du chat-cheval de nuit au milieu du couloir en bois, la voix de Kim de loin comme de l'eau qui coulerait comme de la pluie rue Crémazie. Au Chantauteuil oublier l'attente le vide, l'impatience de recevoir, devant soi hauteur des yeux, le cadeau d'un homme qui va seul, dort seul, mange seul, le cadeau d'un homme qui choisira, qui choisira : besoin de moi. La vie va petits pas jamais bien loin.

La nuit en départ Chantauteuil, à grands renforts de copines, en flots folies repousser les insomnies. Cinq heures du matin la Terre est une boule. Des milliers milliers d'hommes milliers milliers de femmes, tu n'existes que pour moi je n'existe que pour toi, nous n'avons aucune importance mon amour. Nous vieillissons cela n'est rien, nous mourons de temps en temps. Nous ne pouvons faire que des rires des peurs des baisers des enfants. Nous ne pouvons mon amour que nous inventer une histoire – oh ! une toute petite histoire, une histoire à hauteur d'homme, sans envergure, histoire de reprendre des forces. L'oubli ne nous lâchera pas. Il faut mettre du violoncelle sur ces caresses que, par manque d'audace, nous laissons se perdre entre nous. Simplement parce que ça fait musique, et que si l'inutile chante en Jean-Sébastien Bach, il devient plus facile de rêver tranquille, plus facile de dormir. Cinq heures du matin la Terre tourne en rond, et mon amour nous ne serons jamais que deux. Les mots tiennent debout seuls les mots tiennent le monde en place un peu plus longtemps que nous. Comme si cela était triste, comme si le silence était triste.

Les heures boréales, les décors inaccessibles et flottants. Pergolesi le Stabat Mater, Québec et ses ruelles dans la stupeur enneigée de l'après-tempête. Les changements particules, les façades repeintes. Des cafés des gens des feux d'Auvergne. Des demi-soupirs. La poésie est petite, dans les pots de crème, il en traîne partout. Au Chantauteuil oublier le temps les autres la tristesse. Toute petite la tristesse, ni le tragique ni le déluge. Les causes sont disparates, comme pour l'écriture. On lit Duras on lit Pedneault, et Léos Carax au cinéma, un jour dans le désordre les mots ressortent. On lit le journal sans comprendre, les attentats les pertes de temps. Sans cause particulière une petite tristesse de fond, en manque d'eau en mal de mer. Les mots mettent des sourdines aux angoisses. Sans réponse, des cassures de silence avec de la lumière derrière, des trous dans le ciel. N'empêche, c'est joli, des lignes entrecoupées sur papier blanc, ça fait sourire les enfants, ça donne à croire que peut-être le manque la solitude, comme les tableaux de Cézanne de loin soudain peuvent prendre une signification. L'air d'écrire comme ça, c'est illusoire faut pas s'y fier. L'air d'écrire et c'est la seule façon de demander un peu d'amour, et tellement d'air.

La lectrice
Yves Bussier

LES YEUX...

Pierre Giguère

Âgé de quarante ans, beauceron d'origine mais québécois d'adoption, PIERRE GIGUÈRE est administrateur de projets dans le domaine des expositions et des événements culturels. Ses expériences l'ont progressivement mené vers l'écriture.

Écrire, c'est créer un univers qui nous appartient. Pourtant, une fois ses personnages en place, ils prennent une autonomie qui étonne et ce monde devient bientôt parallèle à celui de l'écrivain, animé comme par lui-même.

D'UN HOMME

LA RENCONTRE

Ils étaient attablés au fond de la petite salle; je ne les connaissais pas. Elle, jolie, le visage un peu triste; lui, de dos par rapport à moi, assez corpulent, les cheveux noirs, longs. Ils parlaient beaucoup, à voix basse. Une conversation où je crus reconnaître des accents de dispute; un règlement de comptes ?

Dans l'ambiance plus calme de cette fin de journée – les midi sont bruyants d'une clientèle d'habitués – les discussions étaient ponctuées d'éclats de rire, des amis se racontant leurs journées, tantôt tranquilles, tantôt heureuses, souvent ordinaires. Des couples d'amoureux, des rencontres de copains. Près de la fenêtre, un homme lisait le journal, l'air désabusé, absent.

Seul à ma table, j'essayais de les comprendre, j'étudiais ces instants de vies diverses, des *scènettes* dont je tentais de deviner les histoires. J'y revoyais régulièrement les mêmes visages, Québec est un grand village. D'autres, de passage pour quelques heures, arrivés d'ailleurs, y retournant bientôt, me laissaient errer beaucoup plus loin dans leurs passés probables.

Je reconstituais les personnages à partir de leurs allures et des quelques mots que je saisissais de leurs conversations. Parfois, après leur départ, je demandais à Marie qui ils étaient, si elle les connaissait, une façon de vérifier mon évaluation.

Un jeu gouverné par l'ennui d'une vie solitaire. Je n'ai pas d'histoire, je m'intéresse à celle des autres.

Ils étaient toujours là.

Le ton monta, ou plutôt il devint plus dur et le visage de la jeune femme montra alors de la détermination. Tout en parlant, elle fixait un point, quelque part un peu plus bas que le visage de son interlocuteur de plus en plus agité. Elle récitait son discours, froide, détachée.

Je devenais un espion et toute mon attention était dirigée vers ce couple inconnu, plutôt vers elle.

Je ne pouvais pas regarder trop directement, trop longtemps le visage de la jeune femme que l'émotion commençait à transformer. L'oreille tendue, je recueillais chaque bribe de phrase, tentant de reconstruire le texte, le contexte, le scénario de leur vie intime. Au moment où mon indiscrétion franchissait certaines limites, la jeune femme me remarqua, je baissai innocemment les yeux, quelques secondes. Quand je les relevai, elle regardait toujours vers moi, l'air étrange, fatigué.

Je détournai la tête et pris mon verre, tout en recomposant intérieurement son visage ovale. Elle avait de beaux traits, une chevelure foncée, fine, coupée carré et contrastant avec sa peau de pêche. Mais surtout, ses yeux, grands, très grands, foncés aussi, et profonds, tellement que mon propre regard n'y avait trouvé de prise. Dans ma tête, il ne restait plus qu'eux, deux lumières, deux pierres précieuses...

– Pierre, tu en veux une autre ? demanda Marie, près de moi, me souriant, de manière complice.

La jeune inconnue était sûrement « bien née ». Racée, non pas à la manière d'un félin, mais plutôt aristocratique avec cette expression d'intelligence, alliée à la beauté, que procurent quelques générations de talent, de culture et de bonne éducation. Cette femme m'attirait, j'enviais son compagnon, j'aurais même aimé partager la dispute qui les unissait. Je fermai les yeux de nouveau, encore son visage, encore ses yeux. Je bus une gorgée.

Ils étaient toujours là.

La lumière de la fin d'après-midi devenue pénombre; l'arrière de la salle, où s'achevait une discussion maintenant pleine de silences, avait pris une ambiance feutrée. Jacques Brel ou Léo Ferré n'en finissait plus de raconter la pauvreté de l'état d'homme; d'autres tables étaient maintenant occupées autour de moi, je revenais à la réalité et je décidai de terminer ce jeu inutile.

Au mieux, j'alimentais mes rêves de la semaine. J'allais maintenant rentrer chez moi et occuper ma soirée à lire ou à relire dans le silence de mon appartement.

Au moment où je faisais signe à Marie que je désirais payer mes nombreuses consommations, son compagnon se leva et, sans que je puisse voir son visage, il se dirigea vers le corridor menant aux toilettes. Il portait un blouson sombre, usé mais de qualité, des jeans délavés; n'importe qui. Sauf qu'il était avec elle.

Nous étions maintenant assis face à face, elle leva les yeux vers moi; encore une fois, je n'y trouvai rien, pas de tristesse ni d'ennui. Elle soutenait mon regard, redressant d'un lent mouvement sa tête sur ses épaules droites; à ce moment, je réalisai qu'elle ne me voyait pas vraiment, j'étais invisible. Elle, si près, si loin.

– 12,75 $, Pierre !
J'ai bégayé : « Une autre, s'il te plaît. »

Soudain, elle se lève, enfile son imper à la hâte, ramasse son sac, laisse tomber un billet sur la table et décampe.

Je sens mon pouls qui s'accélère, étrange sentiment d'urgence qui m'attrape lorsqu'elle passe près de moi et me regarde encore, sans me voir. Je suis confus, je me retourne vers la sortie, elle est déjà à la porte. Elle passe ensuite devant la fenêtre en regardant à l'intérieur, image furtive dans le reflet de la vitre, son visage un peu flou, puis ses yeux sombres, qui disparaissent bientôt dans le décor extérieur.

Du bruit au fond de l'arrière-salle : son compagnon est debout dans l'embrasure de la porte du corridor des toilettes, les yeux hagards, l'air ahuri, fixant la banquette vide. Un silence d'une seconde, très longue. Il bondit vers sa table, empoigne son pardessus sur le dossier de la chaise, fouille dans ses poches, en sort des billets, et voyant alors le vingt dollars sur la table, il grogne et s'élance vers la sortie, rageur.

Que faire ? Me voici pris à mon propre jeu. Est-ce un drame, une simple querelle d'amoureux ?
Elle descendait la rue, c'est vers chez moi, non ?
J'y vais !
Voyeur, curieux, inquiet aussi, un peu alourdi, à la recherche d'une illusion, de je ne sais quoi, je règle rapidement l'addition et je m'en vais à mon tour, laissant le verre de bière plein.

Marie s'étonne de mon départ précipité, je lui fais comprendre, du coin de l'œil : « Pose pas de questions. À la prochaine. »

Dehors, je marche, d'un pas décidé, dans la direction des deux acteurs de mon cinéma d'amateur, d'une histoire que j'invente, aux accents de plus en plus noirs, mettant en vedette une si jolie actrice et peut-être...

Les néons des façades avaient coloré le bitume mouillé par une pluie fine. Des gens entrent et sortent des magasins. Les voitures, à la queue leu leu, les bruits de la rue, c'est la tombée de la nuit.

Ils sont là, à travers les parapluies, à quelques mètres.

Il lui tient le bras, ou la manche. Elle se détache, recule, en retirant son bras d'un mouvement d'épaule.

J'entends le type lui dire : « T'es pas correcte ! Tu le regretteras, tu ne peux pas me faire ça ! »

Une conversation à sens unique, elle ne répond pas, le regarde d'un air défiant.

Je suis immobile. Elle cherche à s'éloigner, il la retient de nouveau par le bras. Ils sont toujours face à face et, cette fois, il s'agit vraiment d'une querelle.

Elle dit : « Lâche-moi », et tente de se soustraire à la poigne de l'homme qui, les deux pieds bien campés, l'agrippe maintenant par les épaules. Le visage de la jeune femme, prise au piège, a une expression de colère, mais sans panique malgré la situation inégale.

Je me sens étourdi.

Elle crie presque, cette fois : « Je te dis de me lâcher ! »

Quelques passants ont remarqué la dispute et se retournent sans s'arrêter.

Qu'est-ce que je fais là, je songe à intervenir, mais non, quand même ! Qui suis-je donc ? Un héros ?

Je décide de continuer mon chemin, comme les autres, Hollywood c'est ailleurs, et de retourner à ma petite histoire.

Ils sont sur ma route.

Je fais quelques pas et elle crie :« Laisse-moi partir ! »

À ce moment je suis près d'eux et, malgré moi, je m'entends dire : « Ça ne va pas, vous avez un problème, mademoiselle ? »

Le coup m'a surpris, peut-être le coude de l'homme dans mon estomac; déséquilibré, j'ai glissé et je me suis retrouvé, le souffle coupé, accroché au poteau d'un parcomètre, dans un trou noir.

Une première image réapparut, le béton du trottoir, puis la ligne des toits des immeubles de l'autre côté de la rue, les néons, enfin, dans un brouillard, son visage qui s'éloignait.

À ce moment, j'ai croisé ses yeux, et cette fois, elle me regardait !

Son regard a pénétré à l'intérieur de ma tête, il a lézardé un chemin et imprimé son image comme au fer rouge. Elle a tatoué ses yeux dans mon esprit !

Tout à coup, j'étais.

Comme un idiot, assis par terre, je souriais, en les regardant s'éloigner, s'engueulant toujours.

Une femme à la tête coiffée d'un foulard aux couleurs criardes s'est approchée, lorsque je me relevais, un peu trempé, s'inquiétant de mon état et de ce que devenait le monde; je lui affirmai que tout allait bien.

En me relevant, le bras contre la poitrine, de nouveau je la vis, elle s'était retournée plus loin, et elle me cherchait du regard.

J'ai zigzagué mon retour jusqu'au Chantauteuil, poussé la porte, et, à Marie qui me demandait, les yeux écarquillés :
– Pierre, tu es tombé ?
J'ai répondu, béatement :
– Oui. En amour.

LE RÊVE

Dans les jours qui suivirent, je laissai le rêve prendre possession de la réalité.

Lentement, ses yeux envahirent mon quotidien, discrètement au début, lorsque je me sentais seul. Puis, la nuit, compagnons d'insomnie. Plus tard, dans les reflets des vitrines, dans les visages imprécis des foules le soir, dans le miroir de la salle de bains lorsque je me rasais, finalement, dans ma soupe ! Comme dans les romans.

Je me laissais aller à des rencontres imaginaires, des dialogues à sens unique, elle devenait mon amie la plus intime, elle me comprenait.

Plusieurs jours passèrent et je me mis en tête de la retrouver. Je visitai d'autres bars, d'autres bistrots d'où, chaque fois, je repartais déçu et de plus en plus égaré.

La bière y était aussi pour quelque chose, bien sûr.

Mes loisirs d'homme seul, le vélo, la piscine et le jogging, occupaient mon corps, mais mon esprit était devenu un carrousel dont elle occupait toutes les places. Je n'arrivais même plus à lire sans reprendre des paragraphes complets. Je n'avais pas d'amis assez proches pour me raisonner, et puis cette langueur me plaisait, l'impression de vivre, plutôt que d'exister.

Un soir, alors que je revenais du boulot, où je commençais d'ailleurs à manquer d'intérêt, et où l'on commençait aussi à s'inquiéter de mon relâchement, je la revis.

Il faisait froid, je marchais d'un pas rapide, absorbé dans les restes d'une autre journée morne. Elle sortait d'une boutique, de l'autre côté de la rue, des sacs plein les bras, et montait dans un taxi. Surpris, j'ai crié : « Mademoiselle ! » comme se refermait la portière et, au pas de course, j'ai entrepris de traverser la rue bondée par la circulation de six heures. Elle n'avait pas dû m'entendre et, au moment où j'atteignais la voiture, le taxi démarra.

Je criai de nouveau, beaucoup plus fort. Elle tourna la tête, son regard se posa sur moi, étonnée. Je crus qu'elle ne me reconnaissait pas, et le taxi qui s'éloignait. Puis, la voiture ayant franchi quelques mètres, la femme se retourna et, par la lunette arrière, son regard pénétra de nouveau en moi. J'étais figé, elle me sourit, elle savait maintenant qui j'étais.

Doucement, Hollywood rouvrait ses portes, je lui envoyai, de la main, un baiser.

Son sourire grandit. Je la reverrais, c'était certain. Ses yeux avaient pris une expression si chaude, j'avais chaud aussi. Le froid d'automne ne m'atteignait plus, le rêve m'enveloppait, j'étais heureux.

Taxi Métropolitain, voiture 36. Pas vraiment une adresse, mais...

Je restai quelques instants ainsi entre la réalité et le rêve, où tout est possible. Quand le bruit de la rue me revint, j'avais trouvé comment la rejoindre, finalement.

Je me dirigeai vers une cabine téléphonique, je courais presque. La porte à peine refermée, je cherchai dans l'annuaire aux pages déchirées le numéro de téléphone de la compagnie Taxi Métropolitain, je composai et, après une sonnerie, la téléphoniste me répondit :

– Taxi Métro, bonjour, quelle adresse, s'il vous plaît ?

La réalité m'assaillit tout à coup, la buée dans les vitres sales de la cabine, les graffiti obscènes, l'odeur, le froid, de retour; je marmonnai des excuses et raccrochai.

Quelques secondes passèrent, ma main sur le combiné, les oreilles bourdonnantes, l'apitoiement me gagnant comme le goût habituel de la défaite.

Petit, j'étais tout à coup minuscule, et la cabine, immense.

Puis, ses yeux réapparurent, immenses, deux feux; d'un coup, je retrouvai mon assurance, recomposai et demandai à la téléphoniste de transmettre pour moi un message à la voiture 36. Elle me répondit :

– Je suis désolée, monsieur, nous ne pouvons pas faire cela, c'est impossible.

Après avoir insisté, m'être mis à genoux, avoir promis pourboires et considérations, déclaré mon estime éternelle, j'arrivai électroniquement dans la salle de répartition avec, en bruit de fond, un concert ininterrompu d'adresses récitées comme des prières juives. J'entendis la téléphoniste présenter mon message, retransmis ensuite par la voix mécanique de la répartitrice.

– Voiture 36, vous êtes à l'écoute ?

– Oui, Germaine, je suis là.

– J'ai un message pour votre passagère. Est-ce qu'elle nous entend ?

– Oui, je crois, mais qu'est-ce que c'est que cette histoire maintenant !

J'entendais comme dans une boîte, à travers les litanies des autres répartitrices, les grésillements sur les ondes et les sonneries de téléphone.

Le visage aux yeux si sombres s'était superposé au paysage à travers la vitre de la cabine, comme en transparence.

– Il y a quelqu'un au téléphone, ici, qui invite votre cliente à le rencontrer au Chantauteuil, ce soir, à n'importe quelle heure, vous avez bien entendu ? dit-elle en riant.

Silence.

– Elle dit qu'elle ne sait pas... C'est tout !

Au bout du fil, je ne respirais plus, la téléphoniste me dit qu'elle ne pouvait faire plus, qu'elle n'avait pas le droit, que ce n'était pas un service de messagerie.

Je la remerciai en balbutiant qu'elle était gentille et raccrochai, ni triste, ni heureux.

Direction Chantauteuil.

Je n'avais pas soupé et je voulais espérer. J'allais me payer quelques heures de rêve, je commençais à sourire, presque fier de moi. Je n'étais pourtant pas bien avancé.

LA RÉALITÉ

En poussant la porte, l'espoir s'empara de moi. Pourquoi pas.

Marie, fidèle au poste, me salua et remarqua probablement la tension qui m'habitait, demanda comment j'allais, si je venais pour manger, me dit qu'il restait de l'agneau du dîner, qu'il était très bon.

– Viens t'asseoir à cette table, ici, près du bar, finit-elle par me proposer, on pourra jaser un peu.

En lui souriant je désignai, d'un mouvement de la tête, une autre table, le long du mur de côté, devant la banquette, et répondis que j'attendais quelqu'un. En m'y installant, je réalisai tout ce que la situation avait de bizarre, j'attendais qui ?

L'ambiance habituelle des débuts de soirées, un autre Français qui ne chante pour personne, quatre ou cinq clients dans la salle du fond, un couple à la table contre la fenêtre, et moi.

Je commande l'agneau, un verre de rouge et je m'installe, prêt à une veille dont je ne connais pas le dénouement.

Un dialogue incessant occupe mon esprit, j'en compose mille variantes, commençant par le début ou par la fin. J'imagine les éclats de rire dans ses yeux, leur profondeur dans les silences, j'essaie de prévoir, de préparer une conversation intéressante pour ce tête-à-tête, qui n'aura peut-être même pas lieu.

L'agneau gèle dans l'assiette. Le verre se remplit de nouveau.

L'assiette disparaît, le verre se remplit encore.

Je regarde ma montre, huit heures.

De ma place je vois la rue par la fenêtre, je surveille aussi la porte. J'attends un taxi qui n'arrive pas, m'amenant celle qui tient mes rêves dans ses yeux.

Le temps passe. J'ai déjà entendu mon propre procès. Jugé insignifiant chronique, irrécupérable,

rêveur condamné à la solitude, aux relations super-
ficielles des premières et dernières rencontres, client
idéal des librairies, du vidéoclub et de quelques
restaurants et bistrots.

Vraiment, j'avais perdu la tête, les rêves ne se
réalisent pas si facilement, sauf dans les films.

Le futur s'efface, le présent réapparaît, comme
le ridicule de ce rendez-vous d'adolescent.

Marie s'inquiète, je mens un peu encore, si, si,
tout va bien !

Trop jolie, c'est certain. Je m'étais noyé dans ce
rêve, dans les scénarios roses, un sourire, ce n'était
qu'un sourire après tout.

Il est maintenant dix heures, c'est suffisant pour
la marinade.

La décision de partir abaisse ma pression au
point qu'il m'est pénible de me lever, d'envisager
les politesses à la caisse.

Marie constate mon désarroi et m'offre un
sourire silencieux. Je me retourne vers la salle,
l'image que me renvoie le miroir sur le mur
m'effraie, je suis vieux.

Je sors.

Le trottoir, plus ou moins désert, s'étire vers
l'ombre, vers la solitude. Je ne peux dissimuler mon
angoisse et ma tristesse, l'humidité de l'automne me
pénètre, je sens le froid sur mon visage et un frisson
secoue mon corps.

Les mains dans les poches, je retourne chez moi,
mon petit monde. Les yeux se sont éteints, comme
les lumières la nuit.

Quel idiot !

Derrière moi, à cinq mètres, un taxi s'arrête à la
porte du Chantauteuil...

D'UNE FEMME

LA RENCONTRE

Elle entra dans le bistrot, inquiète, curieuse, amusée.

Elle avait longuement mûri sa décision, enfin quelques heures.

Sa vie n'était plus la même depuis qu'elle avait laissé Paul.

Il n'aimait rien de ce qui la passionnait. Au cinéma d'époque, il préférait les nouveautés américaines. La peinture, il n'y comprenait rien, plus intéressé par ses performances au squash et le dernier *Miles Davis*.

Gueulard, attentionné mais pas tendre. Un bon coup, elle prenait son plaisir, mais un peu bête.

Leurs dernières soirées s'étaient toutes terminées par des froids, des bouderies que les caresses de la nuit ne parvenaient plus à effacer. Alors, elle mit fin à cette relation, vieille d'un an déjà, au cours d'une discussion funeste, au même endroit où elle avait ce soir rendez-vous avec un inconnu.

Elle conservait un souvenir incertain, mystérieux, de cet homme tombant à genoux sur le trottoir, frappé ou poussé par Paul le soir de la rupture;

de cette première étape d'une séparation qui se révéla douloureuse et compliquée.

Un souvenir curieux de ce visage à l'expression béate, derrière elle, alors qu'elle quittait ce coin de rue, entraînée par un amant dont elle ne voulait plus.

Il n'était pas au bon endroit au bon moment, pour lui du moins. Il avait, par son innocence, désamorcé une situation dont elle craignait l'issue, figurant opportun d'un drame ennuyeux.

La séparation complétée et digérée, avec nombre de coups de téléphone nocturnes, tentatives infructueuses d'explications ou de discussions, elle avait été inflexible, c'était fini, elle s'était murée dans son appartement, pour se retrouver. Paul devrait en faire son deuil, qu'il fit très mal d'ailleurs.

Elle avait oublié beaucoup d'elle-même, dans cette relation ponctuée de crises de jalousie ou d'orgueil.

Plus tard, elle avait souri en repensant à ce mec accroché à un parcomètre, l'air content... Elle se rappelait aussi qu'il les avait observés pendant leur scène, plus tôt dans la soirée, dans ce petit bar où elle n'était pas revenue depuis. Hasard ?

Aujourd'hui, assise confortablement, à l'arrière d'une voiture-taxi, elle s'était retournée, croyant qu'on l'appelait. L'image floue de cet homme par terre avait ressurgi, ce visage surprenant. Il était là, maintenant, debout au milieu de la rue, et son regard affamé l'avait charmée, un peu.

Elle lui offrit un sourire, presque entendu. Le taxi démarrait, et à ce moment, il lui envoya, de la main, un baiser qui, à travers la lunette arrière du taxi et malgré elle, lui toucha la joue. Elle avait été surprise, débalancée.

Elle s'était tout à coup détendue, la situation était amusante, étonnante, et elle répondit à l'autre par un sourire de toutes ses dents. Elle ferait bientôt connaissance avec cet inconnu, sans savoir comment encore.

Il semblait venir d'ailleurs, sorti d'on ne sait où; et malgré le cabotinage, il l'intéressait.

Elle songeait à cette curieuse rencontre, bien au chaud dans la voiture. Les essuie-glaces débarrassaient la grande vitre des gouttes d'automne, avec ce bruit si particulier, sourd et régulier.

Le chauffeur, dans la cinquantaine, les épaules arrondies, les cheveux dégarnis, ne disait pas un mot. C'est ce qu'elle préférait.

La radio-taxi récitait, sur un rythme hypnotisant, un chapelet de numéros et de noms de rues, entrecoupé des bruits de la communication. Elle n'écoutait pas vraiment, tout en regardant par la vitre la ville qui défilait en cette fin de journée grise.

Le gros sac, près d'elle, sur la banquette, était rempli de pantalons, de blouses de la meilleure qualité, des centaines de dollars de vêtements. Magasiner trompait l'ennui et l'argent ne manquait pas. Elle pensait à son père, responsable de son statut aisé, mais aussi de son insatisfaction permanente, toujours mieux, toujours plus..., lorsqu'elle entendit, qu'à la radio-taxi, on s'adressait à elle...

Le chauffeur répéta le message :

– Mademoiselle, y a un type qui vous offre de le rejoindre ce soir au Chantauteuil, il est au téléphone, au central.

Il riait de la situation et attendait une réponse pendant que les litanies reprenaient les ondes, un peu surprise, elle répondit qu'elle ne savait pas.

Le chauffeur transmit sa réponse et, en la regardant par le rétroviseur, lui dit que ça, c'était bien la meilleure.

Le taxi du cœur.

LE RÊVE

Les nouveaux vêtements répandus sur le lit, la lumière du plafonnier rendant la chambre froide et, la glace renvoyant l'image d'une femme seule; ennui.

Elle se rendit au séjour, ouvrit la sono, mais les Hips ne changèrent rien à sa solitude.

Qui était cet homme ?

Un inconnu s'intéressait à elle, lui donnait rendez-vous, ce soir même. Qu'en avait-elle à faire, mâle en rut ou simplement crétin ? Un baiser de la main, c'est quoi ce type, Valentino ? Et puis le coup du téléphone dans le taxi, c'était dément cette histoire.

Pourtant, les deux images de cet inconnu demeuraient présentes, la première, qu'elle avait un peu oubliée, ce soir lointain, et la dernière, tout à l'heure, presque magique. Son expression, son regard, hum...

Se rafraîchir les idées, la mousse dans les cheveux, l'eau chaude sur son corps, la tête ailleurs, non, la tête dans le taxi.

Un mois déjà, un mois sans caresses, pas d'homme dans son lit, ni dans sa vie.

Assise devant le téléviseur, en peignoir, elle zappe d'une chaîne à l'autre, l'esprit hanté par ce rendez-vous. Une porte ouverte sur une autre vie, peut-être une relation différente, en plus l'attrait de l'aventure, la vraie; pas le copain de Valérie, pas le frère d'une copine, ni quelqu'un du milieu, ni un partenaire de tennis, juste une histoire simple.

Simple et romantique. Le mot oublié, d'un autre temps, le rêve quoi.

Depuis quelques années, elle avait accumulé les beaux mecs.

De belles pièces, avec de belles dents, de beaux cheveux, des sous pour les sorties. Des envies de paraître et d'être vus. Vide tout ça.

Et l'amour, un échange. Tu me donnes ton corps, je te divertis, tu m'écoutes, je te sors.

Relations commerciales à la fin, où la paix devient l'ennui.

Les sorties de filles ont épuisé tous les sujets de conversation, et les bavardages légers sont vraiment trop légers. Pourquoi pas un *blind date* ?

Huit heures trente. Allongée sur le sofa, elle continue de soupeser la situation avec amusement.

Je m'ennuie c'est certain, je m'ennuie depuis des années finalement. Un inconnu ! C'est peut-être un malade. Est-ce qu'il connaît la peinture, la bouffe, Paris ?

Est-ce qu'il baise comme tous les autres ? Est-ce qu'il aime ? Qui est-il ? Qu'est-ce qu'il me veut avec son air perdu ?

La tête sur le bras du sofa, elle revoit ses yeux, un regard sans malice, sans possession, un regard doux.

Un visage, une tête, au bout d'un corps, un corps collé sur le sien, des bras solides de chaque côté de son propre corps. Soupir. Plus d'un mois déjà.

Neuf heures quinze. Presque assoupie dans un rêve de baisers et de regards, de caresses et d'abandon, elle se décide.

Je m'ennuie, j'y vais, on verra bien. S'il est correct, j'irai chez lui.

La décision l'excite. Debout, elle sent ses seins durcir.

Sourire.

Devant la glace, elle enfile un pantalon, attache un soutien-gorge sur sa poitrine, et entreprend de maquiller ses yeux, ajoutant une note de mystère à son visage, se préparant au jeu de la séduction. Cependant, pas trop d'artifices, un léger trait foncé autour des yeux, à peine d'ombre sur les paupières. Prête pour une aventure différente.

Normalement, c'est elle qui chasse ses proies. Elle choisit un type, se renseigne, l'appâte, le ferre, le harponne. S'il en vaut la peine, elle le garde captif en lui donnant son corps, parfois un peu plus. Drôle de jeu où le chasseur devient gibier, volontairement.

Un coup de peigne, il est déjà tard, neuf heures trente, il est parti... Non, il attend.

Boutonnant son imper dans l'ascenseur, elle imagine la scène : « Bonsoir, mon nom est... » C'est trop bête.

« Salut, j'm'appelle... »Trop familier.

« Bonsoir ». C'est tout. Après, laisser venir.

LA RÉALITÉ

Tout au long du trajet vers le bistrot, elle s'inquiétait de la première impression, les premiers instants. Chaque fois son instinct de prédateur l'emportait et elle se calmait; pourtant, un sentiment de vide, différent de celui des autres rencontres, remontait toujours à la surface. Elle réagissait, plus qu'elle n'agissait, elle obéissait à une force où se mêlaient de nombreuses contradictions, la hâte la gagnait comme le taxi approchait du Vieux-Québec.

En descendant de la voiture, elle prit une grande inspiration, et s'avança, vers la porte du bistrot, à la fois étonnée et ravie.

À l'intérieur, la chaleur, la musique, la serveuse, le barman, les clients...

Il n'est pas là ! Merde, il n'est pas là !

Qu'est-ce que c'est que ce crétin, il n'est pas là !

Une rapide inspection de la place confirme que le rendez-vous est raté. Quelle heure est-il, dix heures, c'est peut-être un peu tard.

Debout devant le bar, elle croise les yeux de la serveuse au sourire fatigué.

– Vous cherchez quelqu'un ? demande-t-elle.

– Euh, oui, non, enfin...

Un court silence où l'on s'interroge et Marie lance :

– Vous aviez rendez-vous avec Pierre ?

– Pierre ? Je ne sais pas... J'avais rendez-vous avec quelqu'un que je ne connais pas, une histoire bizarre...

Et rapidement :

– Merci, je me suis trompée, au revoir.

Aussitôt sortie, la fille laisse aller un soupir, très profond, ça aurait pu être drôle, nouveau, mieux même.

La tête cachée dans son col relevé, elle marche vers le Quartier latin, triste.

Il fait froid. Le trottoir est désert, un type traverse la rue, plus loin devant.

4 heures, le 28 octobre...
Marie Rioux

LA BÉQUÉE BOBO EXISTENTIELLE

Claude Binet

Né en 1949, CLAUDE BINET est l'auteur de nombreuses pièces de théâtre, textes dramatiques, monologues et chansons. Fondateur du Théâtre de la Bordée, comédien, metteur en scène au théâtre et à l'opéra, il a enseigné le théâtre pendant dix ans à l'Université Laval et l'interprétation à l'Atelier d'art lyrique du Conservatoire de musique de Québec. Il travaille actuellement à un cycle de quatre romans, *La danse des pélicans*.

Selon un couplet de chanson, une de celles qui restent à écrire :

Coin Jean, le saint, et d'Auteuil, la rue
Coin péché qui rouvre les yeux, la vue !
Coin de l'autre, des rencontres à deux
Coin de chant pour apprendre la vie un peu...

Un logue, du suffixe – logue qui sert à désigner les savants anthropo – sociolo – psycho – ou des parties de discours comme le mono – ou son contraire, la tentative désespérée, le dia –, vient juste de naître. Demain, quel que soit le préfixe de sa spécialité, il se posera une grave question : pourquoi avons-nous besoin de saisir la dynamique d'un lieu où le monologue se muait en dialogue ? Ou encore, qu'y eut-il là, au coin de la Saint-Jean et de la d'Auteuil, pour que mon grand-père, pas mal sénile, s'attriste en évoquant le Chantau ?

Un bar ? une caverne ? une église ? Surtout un espace, dans lequel le corps entrait et dont les limites confuses rentraient dans le corps dès qu'était vaincue la ligne d'entrée que même la lumière extérieure n'osait franchir. Même que cette lumière, toujours réticente à laisser aller ce corps en dedans, mourait dans le dos du téméraire.

Nommons l'espace : lieu. Colorons son mobilier. La porte est enduite d'un vernis brun foncé, les murs du portique sont en préfini brun quincaillerie, les doubles portes donnant accès au cénacle montrent des doigts qui tachent le noir. Dans la salle, les poutres s'appuient fièrement sur des colonnes dont les pierres se sont patinées du brun ambiant, pierres cernées de joints au blanc vaincu. Au plafond, le gypse se voit annuellement « rebeurrassé » beige pâle pour lutter contre la couleur locale qui réapparaît toujours, conséquence de l'inexorable accumulation de goudron de cigarette, de gras de cuisson et de postillons projetés dans la véhémence des propos vineux.

Le dessus des tables, rendu bouffi de cire accumulée, affiche la couleur d'une espèce de bois à jamais méconnaissable. Les banquettes, elles, sont franchement noires, une conservation de teinte rendue possible grâce au zèle du personnel dans sa lutte quotidienne contre les intempestives colorations de la joyeuse veille.

Le plancher, d'un beau rouge nouveau au printemps, devient rapidement victime, et de l'implacable mimétisme ambiant, et de l'effet corrosif d'une « sloche » véhiculée par des milliers de chaussures d'hiver, les seules entités qui, contrairement aux humains, entrent dans un endroit par paire et en ressortent de même, normalement.

Alors, quelqu'un qui entre au Chantauteuil n'entre pas dans une discothèque aux mille lumières. C'est lui qui est coloré et, entré là, il marche dans une philosophie, de la même manière que s'il marchait dans la « sloche » du lieu avec une merde qui se colle à lui. Donc il peut laisser la sienne chez lui. Les éléments de cette philosophie – *une manière de l'être* – sont définis à tous les instants par ceux qui servent la consommation et ceux qui payent leur droit d'être là en l'achetant cette consommation. Rien d'autre.

Le tableau brossé ici est celui des ans Soixante-Dix, un temps vieux mais beau, où nous avons deux sexes encore heureux de se découvrir, de se rencontrer, de se prouver, de se conquérir et, si c'est nécessaire ou impératif, de s'aimer. Au Chantauteuil plus particulièrement, le futur couple, le non officiel s'entend, doit passer par un intermédiaire pour créer le contact, le serveur. À cet endroit, celui-ci est toujours au masculin et se fait appeler garçon. Autrement on l'appellerait « waitress ».

Le serveur a plus d'yeux qu'une mouche quand il s'agit de jauger les ardeurs de la gent féminine. De par sa fonction privilégiée, il rend jaloux tous ses pareils parmi la clientèle.

Lui seul a la possibilité, pendant son quart de travail, dans ce lieu clos, de lancer des signaux aux femmes et d'en recevoir. Du premier contact verbal à l'arrivée jusqu'à l'adieu de fin de soirée, il a le temps de leur dire, de manière personnalisée s'entend, qu'elles sont seules au monde, incomprises et belles, sans y mettre trop d'insistance. Il serait leur sauveur, si elles lui donnaient le temps d'accrocher son tablier.

Comme dans tout endroit de ce genre, il y a *deux étages* de clients, d'abord les habitués et, en dessous, les nouveaux-nouvelles. Le client veut rester au rez-de-chaussée le moins longtemps possible et il devient immédiatement prétentieux quand il accède au premier étage. Dans la hiérarchie, le degré suprême, juste avant celui de patron, et là il n'y en a qu'un seul et c'est tant mieux, c'est d'être considéré comme *un pilier*. Ce sommet de la pyramide compte quelques individus seulement, mais combien se sont ruiné foie ou pancréas ensemble, dans le but de prouver qu'ils méritaient ce titre.

Pour le serveur, le client fait partie d'un troupeau – terme pour marquer un territoire plutôt que terme péjoratif, même si l'alcool rend l'homme peut-être moins bête ici qu'ailleurs – qui peut se diviser en tribus. Il y a celle des fonctionnaires, qui viennent s'y faire une famille artificielle, mais ô combien excitante, en copulant avec les femelles des autres tribus, dont celle des artistes, tribu bigarrée qui prend toujours le plancher pour une scène ou celle des futurs psychologues, espèce encore agréable avant que ses membres en obtiennent le statut justement, et, enfin, celle des écartés.

Cette dernière catégorie a toujours compris les individus qui n'ont pas l'odeur des autres tribus, mais qui, pour une période plus ou moins longue, se parent des effluves environnantes et repérables, empruntant souvent celles d'un pilier, quelle que soit son odeur...

Donc, il y a place pour presque n'importe qui, mais pas n'importe comment.

Car le Chantauteuil est une boîte où les hommes de qualité veulent rencontrer des femmes de qualité, dans un vice-versa perpétuel. Québec est un gros village dont le Chantauteuil serait le bureau de poste. Au lieu que le client y vienne, à la sauvette, chercher son courrier en fuyant les regards – et surtout celui du visage aux points noirs du maître de poste qui n'attend qu'un geste pour lui donner des nouvelles en prime –, il y entre avec la certitude que quelqu'un ou quelque chose de quelqu'un va changer sa vie.

Ah ! bien sûr, les membres du Club ne sont pas tous de calibre supérieur. Certes non. Il faut un équilibre. Donc, autant d'honnêtes gens que de voleurs, de gens sains d'esprit que de paranos, schizos, mégalos, intellos nuancés, intellos épais, machos, maquereaux, danseuses à gogo (une profession et non un problème de personnalité), écolos, granos, gigolos et autres zigotos. En fait, les banals sains d'esprit seront en minorité, du moins dans les belles années.

D'une certaine manière, tous sont moins petits à leur départ qu'à leur arrivée. Regardons ceux-ci :

Bérubé, la vocation tardive.

Un jeune violoneux arrive un bon samedi soir. Vieux client disparu de la circulation depuis des années. L'étui écrasé sous le bras, il est prêt à jouer. La première pièce publique de cet artiste sera *Le reel de l'oiseau-moqueur*. Que de fausses notes, de grince-ments intempestifs, mais que de bonne volonté, d'élan et de feu ! L'ovation est monstre et le sourire de Jocelyn Bérubé, démesuré. Enfin une première publique ! après que l'artiste eût écoeuré toute la faune autour de son « shack » dans les bois de Sainte-Octave-de-l'Avenir.

Lulu, celui qui fête en noir et blanc.

En l'an Soixante-Quatorze, notre animateur local et national Lulu, entre deux verres sur une même longue brosse, voit la possibilité de réaliser, contre toute attente disons-le, une idée folle. Qui lui était venue spontanément, au désespoir de tous ceux qui sont payés pour en avoir et qui s'en voient proposer une géniale par ce petit gars du Saguenay, non ! du Lac ! ou des deux si vous voulez, comme finissent par les nommer tous ceux qui ne viennent pas de ce câlice de coin-là ! Il sera probablement le seul Blanc – cette minorité planétaire à naître sans couleur – à devenir un héros en exploitant sans les exploiter, la couleur des Noirs. Il est l'*idéateur* de cette foire pour les yeux et les sens que fut la Superfrancofête.

Une fête de la langue, vite devenue *fond sonore* d'une identité fraternelle. Nous apprendrons par la suite que cette idée – originale et mondiale de la seule ville de Québec, seule dans le sens de capitale sera récupérée parfaitement et définitivement par la mafia culturelle montréalaise. À tel point que notre Lulu à nous ne verra même pas son nom sur l'album où il est question d'un Loup, d'un Renard et d'un Lion, ces bêtes vues et entendues le 13 août 1974. Le premier rassemblement nationaliste de l'histoire sera la deuxième défaite de Québec dans le clos des vaches d'Abraham, aux mains des Montréalais cette fois-là. Même l'herbe ne repoussera plus car trop aride est une surface vinyle de *long-playing*. Seul le Chantauteuil s'y reconnaît, un peu malgré lui, dans l'omniprésence du brun et du noir de la pochette et du livret.

Une orgie de couleurs dans les vêtements, de sensations exotiques dans le fait de côtoyer ces épidermes foncés et parfumés, de nouveaux brassages de cul sur des rythmes impossibles à suivre quand on n'est pas né dedans. Des nuits à ravaler l'indigestion d'avoir trop mordu dans des sexes imaginés, à jalouser la possession de la promesse logée dans les pantalons de ces longues peaux bleues aux muscles saillants. Bien des femmes vérifieront la valeur de cette promesse, selon ce qu'indiquent les registres des hôpitaux de la région pour la période des neuf mois après.

De méchantes langues rapporteront que cette visite de Noirs africains, en si grand nombre dans une ville si vierge, pourrait être à l'origine du sida au Québec... Du pur *gossipage* de l'autre ville qui allait s'approprier une idée d'envergure internationale pour n'en faire qu'un party entre nous, en remplacement du Saint et de son mouton... Comme si le cocktail des maladies génétiques ne venait justement pas d'ici. Comme si, au départ, les Tremblay n'étaient pas tous tarés !

Bob Bellavance, client ordinaire pas ordinaire.

Bob ne veut pas enlever ses pieds « slocheux » de la chaise. Pour un serveur, il s'agit là d'une chose inacceptable. Pas les pieds, mais la possibilité de perdre le contrôle de la situation.

Eh bien, le serveur enlève la chaise, les pieds tombent. Il tire sur ces derniers jusqu'à ce que le cul en haut des jambes tombe dans la même « sloche ». Ensuite il tasse la table, prend l'outre à vin par en dessous des bras, la traîne jusqu'au trottoir. L'acteur, hébété et devenu tapis, est adossé contre le mur, dans la vraie gadoue.

« Il est pesant le cochon ! », de se dire le serveur pour expliquer à son coeur la raison de son affolement. On le sait, un coeur ne voit jamais rien de ce qui arrive, il est trop occupé.

Une manière d'agir qui est loin de plaire à un serveur, dont le principe absolu est d'obliger le client à son insu, pas de le traîner dans la boue ! Pourtant il le sait autrement que provocateur, exhibitionniste, montreur de son intérieur et souvent de son extérieur dans de loufoques strip-teases de fin de soirée. Il le sait meilleur. Il l'a vu meilleur.

À preuve, sur le mur de sa chambre, il garde un vieux morceau de prélart, aux motifs jaunes, sur fond brun bien sûr, représentant une fleur-de-lys-feuille-d'érable. On peut y lire :

Du 19 au 29 juillet
Prélart Blues
13, rue Saint-Stanislas
20 h 30   2.00 $

Une affiche, un trophée, un exemple. Si le théâtre peut mettre de côté les classiques et permettre d'articuler une folie comme cette pièce, oui il irait à cette école. Des mots comme théâtre, pièce, comédien, lui ramènent immanquablement la fameuse soirée de carnaval dans ce *Prélart Blues*. Une orgie sur scène ! Les comédiens étaient même tout nus quand ils soufflaient dans leur flûte de carnaval ! Et c'est Bob qui avait dirigé la création !

Depuis l'éphémère gloire, le provocateur de la première création collective à Québec postillonne sa hargne contre les institutions qui ne comprennent rien, ni à l'art, ni à l'essai, ni au sans art sans essai.

Mais la vie cache toujours une perle à l'intérieur des enveloppes de chair mal équarries. La carapace de Bob s'est brisée de la manière la plus fréquente et la plus banale pour notre génération : la maladie.

Bob se réveille un matin avec une bosse entre deux doigts, sur le dos de la main. Pendant un temps, ce n'est rien. Sauf qu'elle grossit. Un premier diagnostic révèle une tumeur, mais les ganglions ne sont pas touchés. Une ablation serait préférable.

« Pas question de me faire charcuter ! » de crier celui qui apprend tranquillement à dissimuler sa main sous la table. Mais la bosse prend de l'ampleur et ceux qui ont voulu la voir parlent d'un citron sur sa main. Ou c'est l'ablation immédiate ou la science elle-même, imaginez, ne répond de rien. Comme si elle avait déjà répondu de quelque chose quand il s'agit de cette cochonnerie de maladie. Le sida sera une bouffée d'air pour les spécialistes du cancer, dans le terrible sens du « enfin il y a pire ! »

Les contacts de Bob avec le serveur ne tournent désormais plus autour de la bouteille et des insultes qui s'y noient. Il n'y a plus qu'un Bob parlant doucement de son dernier jeûne. Beaucoup de jeûnes, trop, trop longs. Avec même un record de durée. Pour rien... Maintenant c'est l'amputation de l'avant-bras. Il s'y résigne, dans une douce conscience, trop faible pour résister aux pressions. De toute façon, il n'a plus rien d'autre à purifier dans son organisme.

En fait, la souffrance et les privations n'ont eu aucun effet sur la maladie, mais elle fut rédemptrice pour l'individu. La fin fut banale.

Quelques temps auparavant, Bob devait recevoir un Prix de la culture. Pour la cérémonie, on avait demandé au serveur de faire le résumé de carrière :

– « Quand on regarde la carrière de monsieur Bellavance, on y voit la personnification même du mot *théâtre*. Pour exercer le métier d'acteur, il faut plus que la simple envie ou le désir passager de se retrouver devant un public, il faut une détermination nette et franche de donner à ce public beaucoup de soi-même. Monsieur Bellavance a réalisé que le plus beau don de soi en est un de lumière. Il n'a pas ménagé ses efforts pour faire grandir en lui cette lumière, de façon à la communiquer au public et à ses confrères et consoeurs de travail. »

Mais souvent, les jurys de Prix ne se souviennent pas de l'événement. Comme toujours, quand c'est important. Bob n'a pas eu son Prix.

Isa, Bert et le miracle.

Isa cherche. Elle veut être une vraie mère et ça presse ! Car ses gonades lui ont signalé que le temps passe et que le cancer de l'utérus guette la femme sans progéniture. Il a l'oeil sur tous, le cancer, et nous sommes à une époque où il a ciblé les jeunes femmes qui se font aller le plat de façon plutôt gourmande. Sans parler du cancer du sein qui n'est plus l'effet du seul tripotage masculin, mais qui est activé par la cigarette en conjonction avec les contraceptifs oraux.

Notre Isa est désespérée. Elle entend parler de la Fête de l'arbre à l'automne qui donnerait, non seulement le calme de l'esprit en attente de l'hiver, mais aussi une fertilité exacerbée et temporaire. Il ne suffirait que d'aller se frotter le pubis sur un orme cinquantenaire. À ne pas faire sans témoin. Personne ne la croirait et c'est important d'être crue dans ces moments si délicats de préparation à la maternité. Elle propose donc au serveur une sortie-plein-air après son travail. « Pas de problème, s'il y a à boire et à fumer », dit-il spontanément. Il n'a pas dédain des extravagances, et pourquoi pas rajouter un noeud à l'écorce ?...

Quelques heures plus tard, lui et Bert, un deuxième invité, sont au café juste de l'autre côté de la rue. Il est assis raide sur une chaise droite, comme tout adulte civilisé le fait normalement, tandis que Bert est plutôt couché sur la banquette. Une étrange position, calculée pour mettre en évidence l'impressionnant paquet que compresse son pantalon. Le serveur en congé a beau se dire que les organes de ses pairs ne l'impressionnent pas, un tel machin agit comme un aimant sur lui. Comme s'il voulait imprimer dans son esprit ce qu'il n'aura jamais.

Bert porte des jeans d'au moins quatre points au-dessous de sa taille, comme Joe Cocker lors de sa première visite aux USA. Mais Cocker avait d'autres talents. Pour Bert, il semble plus important d'afficher SON tuyau d'ABS sous lequel repose l'équivalent de deux balles de tennis, que d'entrenir la conversation. Une conversation qui sombre dans le néant jusqu'à l'arrivée d'Isa.

Et les voilà, à la nuit tombante sur les Plaines, tous les trois pénétrant en terrain inconnu pour faire la Fête à l'arbre. Probablement qu'Isa avait le secret désir d'être fécondée à l'aide de l'organe de ce cher Bert, même si elle le savait aussi tapette que Cousteau est plongeur. Ils trouvent un arbre contre lequel Isa se frotte le corps comme on le fait avec une gousse d'ail sur du pain. Ils se proposent de trinquer, en vitesse car la température baisse rapidement. Évidemment, personne n'a pensé d'apporter un *limonadier*.

Et les voilà en train de battre ce pauvre arbre. Non seulement il avait dû supporter les pulsions maternelles d'Isa, mais il se voit infliger des coups de bouteille par deux brutes épaisses, l'une au gros machin, l'autre avec juste ce qu'il faut. Quand, enfin, le bouchon daigne disparaître dans la nature, poussé par les gaz internes, le mousseux éjecte un bon tiers de ses entrailles. C'est la fête à Isa, donc tète ma Isa ! Elle n'a pas sitôt bu la moitié de ce qui reste qu'elle lance la bouteille au bout de ses bras.

Consciente de sa gaffe, la voilà courant dans la fardoche pour la ramener avant qu'elle ne se vide. Les deux officiants, qui n'ont même pas pu mouiller leurs lèvres d'un peu de broue sacrificielle, courent derrière la déesse qui offre maintenant son corps aux épines et aux branches sournoises dans une flagellation purificatrice.

Effrayant ! Les herbes étaient hautes et toutes mouillées. Le serveur est déjà trempé jusqu'en dessous des bras quand il réalise que ses sandales ne supportent pas l'eau. Le cuir mouillé lui déchire les orteils. Ralentissant le pas, il crie aux autres qu'il va les attendre à l'auto.

Les deux initiés mirent longtemps à sortir de la jungle. Le machin de Bert en avait perdu son insolent volume. Le rite se serait donc accompli. Même qu'à en croire la lueur dans l'oeil d'Isa, la fécondation serait déjà en cours. En fait la Fête de l'arbre à l'automne avait un double but pour Isa : avoir un témoin qui empêche l'homosexuel de copuler et défier ce même type de copuler. Bert résolut l'énigme et copula.

Par la suite, bien pleine de mère, elle se fera voir avec un poète à qui personne n'aurait donné le bon Dieu sans confession. Un alliage d'intellectuel et de brute. Avec, en prime, de la bouche même d'Isa au serveur, une impuissance chronique devant le poil noir dont l'abondance chez elle ne pouvait nier ses origines tziganes. Les névroses ne sont pas discutables, si ce n'est que l'objet de cette névrose, Isa la noire s'était fourrée dans la tête de l'en guérir pour que les rumeurs de paternité fassent plus vraies. Si le père homosexuel avait bandé en elle, le substitut, malgré sa névrose, le pourrait. Les bons plans réussissent. Il serait peu probable que la petite Sandra, fille d'Isa, sache un jour que son père a été une vedette d'Hollywood dans le rôle d'amant naturel de Steve Mcqueen et dernier amant de Rock Hudson.

Qu'avait-il d'autre, ce lieu, qu'on ne pourra oublier ? On en avait une opinion ! Entrer là signifiait devoir côtoyer des déprimés, qu'ils soient intellectuels, artistes ou fonctionnaires !

Bien sûr qu'on en parlait comme le refuge des paumés de l'âme, de l'antichambre avant le Pont de Québec, de grenouillère pour handicapés de raisons de vivre. Oui, il y avait de tout ça.

La même opinion oublie qu'il fallait, à chacun, une sérieuse dose d'équilibre mental pour rester là. Que les vrais candidats au suicide ne pouvaient quitter ce monde en gardant, comme ultime image de leur séjour terrestre, le beige-brun écoeurant du plafond-ciel du Chantauteuil. Qu'un partisan de l'adieu définitif n'était pas fou, qu'il se devait de partir avec mieux. Que s'il y eut des dérapages, disons que les candidats, malheureusement élus, étaient déjà condamnés depuis longtemps. Autrement, la couleur qui délimitait l'espace les aurait poussés à y voir la couleur des gens, la planche de salut !

Oui, tous ont remarqué le *gras triste de fin novembre* et le *gras anémié de fin février,* mais ce sont là les secrétions d'un pays. Un pays triste par moments, faible en vitamines nationales et autres, joyeux autrement.

S'il y eut tant de malheureux à quitter ce monde en prenant leur dernier taxi au Chantauteuil, c'est que le constat définitif d'échec dans leur communication s'y était fait. Si, en paroles ou sans, le malheureux n'a pu se faire entendre dans ces lieux, il n'avait pas d'alternative.

Les gens y venaient pour se confronter au défi d'être quelqu'un dans l'endroit même où il y en avait déjà de connus des quelqu'uns. Personne n'entrait là en se disant : « Vous allez vous occuper de moi maintenant ! ». Le contraire était plus efficace. Adrien Pouliot, scientifique, pouvait rester là pendant un bon moment dans l'attente qu'on lui propose une partie d'échecs. De la même manière, d'autres n'ont jamais trouvé de partenaire, quel que soit le jeu proposé... Pas de façon d'être, mais être et laisser venir. Beaucoup plus exigeant, en ce qui concerne la construction de la personnalité.

Tel était le Chantauteuil : une ruche aux murs gras, où le miel se teintait des couleurs de l'humanité, heureusement. Les alvéoles de cette cité sans voile en ont vu bien des gestes et entendu bien des histoires. Et notre serveur se jure de toutes les raconter un jour, en prenant soin de ne pas gaspiller les belles combinaisons de gens et d'événements. Une prudence qui est de mise, car il serait trop facile d'engraisser le mythe. Seules les petites choses sont réelles. À l'opposé du désordre obèse, la qualité est maigreur.

Un arbre fou d'oiseaux
Benoit Simard

PAYS-FLEUVE

Jean Dorval

JEAN DORVAL est né en 1948. Il travaille dans le domaine médical, mais pratique la création littéraire et poétique depuis bientôt vingt ans. Il a écrit pour le journal *Le trait d'union* et les revues *Vie ouvrière* et *Œuvres ouvertes*. Il a également participé à des ateliers de création poétique au Centre Mgr-Marcoux ainsi qu'à un récital de poésie au Café des Arts.

Glace comme une offrande
          haute de bleu

glace héroïque
chaussée de dérives
glace par quatre pieds
          de gaffes et de bardeaux
rivières roulées par défi

glaces noyées
          jusqu'à l'intime toast des yeux
glace parlurée de courants vengeurs
          traversée de rendez–vous

gigues d'épreuves et d'archipels
au large de nos mains communiantes

Cayen d'envergure
au bras d'Anticosti

j'impose les mains
sur les siècles barbus de villages
glaces raccourcies dans la pierre
                à dos de sueurs

dans la poussière
nos pas se reconnaissent

cris d'entailles

jusqu'à l'abattage des montagnes
la forêt tronçonne ses échos
moissonne la lumière

croûtons ferrés de bottines
le charbon nourrit les blés
rouges de courtepointes

à même la faucheuse d'étoiles

le pain doré épuise le cœur à l'ouvrage
je grignote les semaines

les glaces froncent les regards
tressés de filatures

j'interroge l'espace qui te fonde

grimpeur serré par le vêtement des pentes
gravis cette tour d'ivoire
page aux neiges éternelles

patience de flanelle
qu'une avalanche d'édredon précède
tourbillons d'oies blanches

voici que mon Pays
s'habille de rituels

chasse reprise aux mains du Nord
Chantauteuil de faucon
à refrain de plumes

traces de l'envol des saisons
réserve indienne de mon silence

à pleine poudrerie
de signes sur les paumes
je fais alliance avec le vent
saupoudré de cristaux

balles de neige parachutées d'audace
écho-vitrail cassé d'oraisons
déboulé d'efforts
par l'hiver musclé de débâcles

que fais-tu titubant
ivre de blancheur
tes pas aux frontières de la tempête
floconnent la saison

l'attente de l'été
essouffle le fleuve
          en queue de chemise

au palan des crues
je manivelle l'essorage du matin

j'iceberg le Nord d'engelures
me cube d'eau porteuse
joue contre jour
treuil de lumière
hissé de raisons

je m'attelle comme bobsleigh

j'appelle un glissando
falaise de neige
au plus fjord de sa genèse

Le Chantauteuil
Daniel Fournier

DERNIER SERVICE

LA MORT DANS L'ARME

Nando Michaud

En 1980, j'ai quitté Québec pour aller vivre à Montréal. J'ai coupé tous liens avec ma ville natale, sauf un : j'ai toujours maintenu mon abonnement au *Soleil*. Chaque jour, lorsque je suis en état de le faire, je m'astreins à en parcourir les pages afin de me convaincre que j'ai bien fait de déménager. Et ça fonctionne : neuf fois sur dix, je tombe de sommeil avant la fin du premier cahier. C'est connu, il ne se passe jamais rien dans la capitale.

Aujourd'hui, je me relève difficilement d'une longue brosse solitaire. Si ce n'était des cinq numéros du *Soleil* qui traînent sur mon paillasson, je serais incapable de dire pendant combien de temps j'ai croupi dans l'hébétude éthylique.

Je les ramasse et, en guise de sédatif, je me propose de me les taper en respectant leur ordre de parution. Je dois être sérieusement atteint : j'épluche celui de lundi jusqu'aux petites annonces sans ressentir le moindre soulagement. Ma déception est de courte durée : la nouvelle à la une de la livraison de mardi donne un violent coup de varlope à ma gueule de bois et me ramène brutalement à ma jeunesse.

Un écrivain célèbre assassiné !

Québec — Hier dans la soirée, on a repêché le corps de Bhali Vernes des eaux de la rivière Saint-Charles. L'homme a été retrouvé avec un long pic à glace planté dans chacune des orbites. Le choc a été si violent que les pointes ont traversé le cerveau et l'os occipital pour aller s'enfoncer dans un exemplaire du dernier roman de la victime. Cette mise en scène macabre laisse croire que le meurtre est l'œuvre d'un ou d'une désaxé(e).

On se rappellera que cet écrivain, surnommé le Stephen King des foyers d'accueil, a fait fortune en comblant un vide dans le marché du livre. C'est lui, en effet, qui a inventé le concept de littérature vieillesse. Homme d'affaires avisé, il avait fondé sa propre maison d'édition – la Longue échelle – et recruté une armée d'auteurs qui produisent des romans adaptés au troisième âge. En suivant une recette simple – gros caractères, vocabulaire restreint, phrases courtes, intrigues basées sur les préoccupations de la clientèle cible – l'écurie Vernes court de succès en succès. On se souviendra de titres comme : *La veuve Clito met le doigt sur le bobo, La dérive des incontinents, La revanche de Gérontonimo, Le barbier de Sénile*, etc. La plus récente parution de Vernes – *Miction impossible au Gaghanistân* – a été vendue à plus de cent mille exemplaires en moins de deux mois.

Je n'arrive pas à y croire ! Mon ancien ami Bhali Vernes assassiné ! Pendant dix ans, on a été, lui et moi, de toutes les orgies du Quartier latin. Avec ce qu'on a bu au Chantauteuil, on pourrait faire flotter quinze porte-avions; avec tous les vagins qu'on y a rencontrés et qui ont bien voulu nous essorer le scrotum, il y aurait de quoi reconstituer le tunnel sous la Manche.

La peur du sida ne nous avait pas encore fait découvrir les vertus de la fidélité. Nos succès en amour, on les mesurait en gonos par mois. Vibramycine en poche, on s'amusait à calculer la vitesse de rotation du virus parmi les habitués. À la fin des années soixante-dix, une chaude-pisse tournait dans le sens des aiguilles d'une montre et mettait à peine une semaine pour passer de la table 12, au fond, à la table 1, près de la porte, c'est-à-dire du tombeur-qui-les-sautait-tous-et-toutes au petit-gros-boutonneux qui, lui, sautait surtout son tour.

J'ai appris, grâce au *Soleil*, que la loi des compensations a joué. Le premier a été emporté par le sida, tandis que le deuxième a perdu poids et acné, s'est procuré des souliers à semelles compensées et mène une brillante carrière de rapetisseur de têtes. En tant que psy lacanien, il a sûrement eu l'occasion de se reprendre avec ses clientes (Lacan baise-t-on ? disait Walter Hégault, pilier de bar connu du Vieux-Québec).

C'est après que Bhali Vernes eut fondé sa maison d'édition que nos relations se sont lentement détériorées. Il écrivait de pesants mélos et il l'admettait sans peine. Pourtant, lorsque ses ramassis de lieux communs sont devenus à la mode, il s'est découvert du talent. Pire : il s'est mis à jouer à l'artiste qui comprend ses semblables. Sa façon de regarder les gens a changé; ses yeux immenses, encore agrandis par ses verres d'hypermétrope, ont commencé à briller d'une intense empathie. Lorsque je me suis aperçu qu'ils brûlaient du même feu devant une borne-fontaine ou une porte de garage, je me suis peu à peu éloigné de lui. Son visage rayonnait avec une telle force que je craignais le cancer de la peau...

Le décès d'un ancien copain, c'est un peu la préfiguration de sa propre mort. Je débouche une petite bière pour noyer ce deuil et j'attaque le *Soleil* de mercredi.

Le journal m'en tombe des mains ! Cette Violette L., je l'ai très bien connue, elle aussi. L'exubérance incarnée ! Le genre de nana hyperdynamique qui donnait l'impression de jouer sans arrêt dans une pub de jus d'orange. Même si mon cynisme désabusé s'accordait mal avec son côté « que-c'est-beau-la-vie ! », j'étais prêt à lui pardonner n'importe quoi : elle baisait comme une déesse. Elle se jetait sur vous avec une telle fougue et un tel raffinement dans la perversité que les plus audacieuses descriptions du Kama Sutra, en comparaison, apparaîtraient aussi excitantes que la section « Jardinage» du catalogue *Canadian Tire*.

Mais le sort a voulu que notre liaison dure à peine une quinzaine de jours. La rupture a été instantanée. Je revois très bien la scène. On était attablés à la 6 lorsque Bhali est venu nous rejoindre. Ça se passait au début de sa période radioactive. Il a simplement regardé Violette de ses grands yeux de gazelle à lunettes; elle lui a répondu d'un sourire qui frôlait déjà l'extase – et ils ne se sont plus quittés. Je suppose que l'intensité de l'un avait trouvé de l'écho dans l'enthousiasme de l'autre.

J'ai essayé de ne rien laisser transparaître – image de jeune loup décontracté oblige –, mais l'événement a porté un rude coup à mon orgueil.

J'ai toujours refusé de l'admettre, mais à quoi bon continuer à nier l'évidence : cette frustration a été l'étincelle qui a mis le feu aux poudres entre Bhali et moi.

Pour soigner mon amour-propre blessé, je m'étais rabattu sur une « nouvelle » que le petit-gros de la 1 essayait de draguer. J'avais enlevé le morceau en moins de trente secondes. Je l'avais probablement abordée avec une connerie du genre « Ma bite et vous chez vos parents ? », histoire de situer le débat... Le concurrent avait tenté de faire de l'esprit, mais je l'avais proprement ridiculisé en lui souhaitant une « bonne et heureuse acné et le panaris à la fin de tes jours ». La fille s'était tordue de rire. La fameuse leçon de Reiser se révélait juste : « On les fait se marrer et on se les goinfre ! »

Ainsi Violette, cette indécrottable optimiste, a fini par craquer. Cela ne m'étonne qu'à moitié. Il n'y a que les déprimés chroniques de mon espèce qui tiennent le coup. Les gens qui affichent une joie de vivre indéfectible sont tous d'insondables hypocrites que la moindre contrariété désarçonne. À la longue, la flamme du regard de Vernes aura fait se développer des tumeurs malignes sur la glande qui sécrète l'antidote à l'angoisse. Dormir pendant treize ans avec une centrale nucléaire, fatalement ça marque !

Je poursuis ma lecture :

... Elle rentrait d'un séjour à Robert-Giffard et se relevait mal d'une dépression nerveuse. Elle s'est tiré une balle dans la tête.

Elle a laissé un journal intime dans lequel elle avoue avoir assassiné son ami. Elle donne même tous les détails. Elle parle aussi du motif qui l'a poussée au meurtre, dans un langage confus où il est question d'aveuglement, d'insolation, de rayons ultraviolets. Elle tenait ce journal depuis l'âge de douze ans. Curieusement, les pages couvrant le mois de mai 1980 ont été arrachées du cahier.

Selon l'enquêteur Hector Lebra, l'aveu holographe et le suicide incontestable de Violette L. permettent de classer l'affaire.

Je ne suis pas du tout de l'avis de ce *rusé* enquêteur. Et pour cause ! C'est en mai 1980 que j'ai connu Violette. Je me rappelle très bien, Vernes me l'a soufflée précisément le soir du fameux référendum. En dépit de mes convictions politiques, j'étais heureux de la défaite du « oui »; la déprime généralisée m'avait permis de cacher ma déconvenue.

À la fermeture, les buveurs et les buveuses encore valides s'étaient retrouvés dans un petit immeuble cradingue de la rue Saint-Flavien. L'endroit, alors célèbre dans le quartier, était fréquenté par une faune hétéroclite qui s'appliquait à faire tourner une orgie « à aire ouverte » jusqu'à potron-minet.

C'était le concierge – un étudiant en administration qui deviendra immensément riche par la suite – qui avait monté l'affaire. Le propriétaire vivait en Floride et ne se doutait de rien. Les loyers étaient déposés à la banque au début de chaque mois, mais aucun des trois logements n'était habité. Comme ça, pas de voisins pour se plaindre du bruit. Depuis deux ans, cette espèce de gnome asymétrique se faisait un fric fou en accueillant les noctambules de la haute-ville. De son propre aveu, une seule chose l'intéressait dans la vie : le *cash* ! De mauvaises langues affirmaient qu'il avait commencé sa carrière de grippe-sou en jouant au docteur dans les arrière-cours de Saint-Sauveur. Pour consentir à « examiner » ses petites voisines, il exigeait la carte d'assurance-maladie !

Les planchers étaient recouverts de matelas et les couples de tous les sexes ne se gênaient pas pour se mettre à l'aise. Bhali et Violette en avaient profité pour approfondir leur relation naissante. Trois mètres plus loin, ma « conquête » et moi, on avait fait de même.

Au petit matin, les éboueurs avaient retrouvé le corps d'une grande folle dans un tas de poubelles. Le type était tombé d'une fenêtre pendant la nuit. L'affaire n'avait suscité qu'une enquête de routine; il était connu de la police et des pompiers qui l'avaient plusieurs fois récupéré, juché sur de hautes corniches, camé à bloc au LSD-25. Il se prenait pour un serin...

Deux jours plus tard, une défaillance électrique mettait le feu à l'immeuble. Trop soûls pour réagir, deux des fêtards avaient péri dans l'incendie. En apprenant la nouvelle, Walter Hégault avait eu ce mot : « Voilà ce qui s'appelle prendre une vraie cuite ! »

La semaine suivante, je fêtais mes trente ans... à Montréal.

Des questions se bousculent dans ma tête. Pourquoi Violette a-t-elle détruit ces pages de son journal – et seulement ces pages-là ? Qu'est-ce qu'elles pouvaient bien contenir pour justifier un tel geste ? Comment peut-on, lorsqu'on a choisi de se supprimer, attacher de l'importance à quelque scandale posthume que ce soit ?

Je feuillette les *Soleil* de jeudi et de vendredi. Rien. La police a classé le dossier.

Tout l'après-midi, je tourne en rond en buvant de la bière et en essayant de me remémorer ce fameux mois de mai. Ça me change; généralement, je bois pour oublier. Mais, à part quelques nuits fiévreuses avec Violette, bien peu de choses me reviennent.

Curieux, ces souvenirs de baises sauvages. On se rappelle les gestes, mais la volupté, elle, ne s'imprime pas dans la mémoire. Ces morceaux d'extase qui vous embrasent la tête au moment de l'explosion se dissiperaient-ils ensuite dans l'espace, de la même façon que la lumière ?

Parfois, je me plais à imaginer qu'il y a, quelque part dans le cosmos, des entités vaporeuses qui recueillent ces ondes et s'en nourrissent. Elles n'ont rien à craindre côté famine ! D'après mes calculs, le râle d'environ de neuf cent mille orgasmes irradie continuellement de la Terre. C'est peut-être à même ce faisceau ininterrompu d'énergie libidineuse que s'alimente la béatitude infinie de Dieu; allez savoir !

Par-delà le temps et la mort, Violette me fait encore bander. Je ne laisse pas passer l'occasion; depuis quelques années, je me méprise tellement que j'ai peine à me masturber. Je fixe l'image de ma fantasmeuse sur Violette écrasée sur moi en train de gueuler sa joie à l'univers – et je m'offre une branlette express.

En même temps que le sperme gicle, une certitude me vient : l'affaire Vernes me concerne. Une force invincible me pousse vers ma ville natale. Je m'étais pourtant juré de ne plus jamais y remettre les pieds. En serais-je arrivé à ce moment de la vie où, revenu de tout, l'on cherche à rattraper sa jeunesse ?

Pour éviter de succomber à la tentation, je sors boire une bière aux *Éclopés*, ce bar crado de la rue Rachel fréquenté par la diaspora postgrano de Québec. Étant donné ce que j'ai avalé cet après-midi, la mise à mort devrait se faire rapidement…

On ne manque pas de me demander où j'étais passé ces derniers jours.

– J'ai subi une invasion d'araignées, de rats, de serpents, de scorpions, de crapauds, et d'un tas d'autres bébites qui grimpaient aux murs de ma piaule. Ça ne faisait pas propre, mais je n'ai pas les moyens de m'offrir les services d'un exterminateur. J'ai été obligé de suivre une cure d'intoxication intensive pour avoir raison de cette vermine. Vous ne pouvez pas savoir ce que j'ai ramassé comme cadavres. Cinq gros sacs verts… de bouteilles vides !

Tout le monde s'esclaffe. Comme d'habitude. J'ai beau dire les choses les plus tristes, les plus déprimantes au monde, je provoque toujours le rire. C'est dans la manière, je suppose.

À la fin du « deux pour un » à huit heures, j'estime que j'ai atteint la dose optimale et je rentre me pieuter. Si, demain, je ne dépasse pas la demi-douzaine de petites Molson, après-demain je serai en mesure de me remettre au boulot. J'ai un sérieux retard à rattraper; il faut que je livre les textes de la rétrospective Borduas au Musée d'art contemporain la semaine prochaine. Le chargé de projet m'a demandé de lui suggérer un titre accrocheur. Juste pour le plaisir de le voir changer de couleur, je vais lui proposer d'intituler l'exposition : « L'influence de la peau de vache commune dans l'œuvre de Borduas ».

Je me réveille presque en forme. À peine quelques relents d'angoisse culbutent dans ma tête. Un café-vodka bien tassé les fait fuir. Il suffira d'être vigilant et de garder en mémoire le but de l'exercice : refaire surface...

Cette envie stupide de descendre à Québec et de retrouver ma jeunesse a disparu. Mais le destin s'acharne. *Le Soleil*, encore une fois :

> **Du nouveau dans l'affaire Vernes :**
> # Possibilité de meurtres en série évoquée !

Et, sous le titre, une photo prise au Chantauteuil il y a plusieurs années. Non seulement j'y apparais mais, en plus, un *blow-up* de ma tête est découpée en médaillon dans le coin supérieur droit.

Québec – Ce cliché, parvenu au *Soleil* de façon anonyme, relance l'enquête Vernes. Les treize personnes qui y figurent, sauf celle en mortaise, sont toutes mortes de façon violente et souvent suspecte. Dans le même envoi, l'expéditeur précise les dates et les circonstances de chacun des décès. La série a commencé en mai 1980 par la défenestration d'un individu connu de la police.

Jamais on n'aurait pu établir de lien entre les décès sans ce document d'époque.

L'inspecteur Hector Lebra a donc repris l'affaire en main et désire vivement interroger le dernier survivant.

Des sources indiquent que l'homme, originaire de Québec, habiterait Montréal depuis le début des années quatre-vingt.

Mon univers bascule ! À part une misanthropie carabinée, je n'ai rien à me reprocher, mais je me rends compte que je ne possède pas d'alibi. Mes voisins ont sûrement remarqué les exemplaires du *Soleil* qui traînaient à ma porte et ils en concluront que je me suis absenté. Le personnel et les clients des *Éclopés* confirmeront. La police va sauter sur l'aubaine à pieds joints. Les enquêtes coûtent cher et ce sont souvent des impératifs budgétaires qui motivent les mises en accusation. Le poivrot que je suis va constituer un coupable de choix.

Une chose est certaine : quelqu'un cherche à me mettre dans le pétrin. Mais qui ? Et pourquoi ? La seule personne que j'aie jamais essayé de supprimer, c'est moi. Ça fait même une vingtaine d'années que je m'y applique avec une régularité qui frôle l'obsession.

Je n'ai pas une minute à perdre. Les flics vont rapidement remonter la filière et débarquer en force. On a beau essayer de couper les ponts avec son passé, il subsiste toujours des passages à gué. J'ai intérêt à ne pas moisir ici. Où me planquer ? Tôt ou tard on va me retrouver. Depuis longtemps, je fuis la réalité avec un certain succès mais, cette fois, elle est armée et équipée d'outils de réintégration sophistiqués.

Je dois aussi me méfier du fantôme qui cherche à m'impliquer dans cette invraisemblable histoire de meurtres. Si je ne le prends pas de vitesse, je serai sa prochaine victime. S'il ne m'assassine pas, la police va me coffrer. Mais pourquoi avoir monté tout ce bazar pour avoir ma peau ? Il n'avait qu'à venir me trancher la gorge pendant un de mes comas éthyliques. Je ne lui en aurais même pas voulu…

J'inspecte attentivement la photo en achevant la bouteille de vodka. Elle a été prise au grand-angulaire et couvre toute la partie avant du bar, sauf le côté de l'entrée. J'ai plus ou moins connu tous ceux et celles qui y figurent. Bhali, Violette et moi sommes assis à la 6. Les deux premiers se dévorent des yeux, tandis que je semble plutôt rongé par la jalousie. Ça ne fait aucun doute : cette photo date précisément du soir du référendum. Tout ce beau monde s'était rendu au clandé de la rue Saint-Flavien, cette nuit-là.

Un manque d'harmonie dans la composition de l'image attire mon attention. Dans ces clichés distordus, les lignes horizontales s'incurvent en arc de cercle parfaitement symétrique. Or, ici, il y a un déséquilibre à gauche qui suggère qu'une partie de la photo a été soit coupée, soit recadrée au développement. Hasard, recherche esthétique ou geste délibéré ?

Je suis enclin à penser que la clé de l'énigme se trouve dans cette partie manquante. La photo a dû être prise assez tôt dans la soirée; autrement, je n'y apparaîtrais pas. Plus tard, j'étais à la 1 en train de convaincre une dame de m'offrir « l'hospitalité ».

Mais oui, ça coule de source ! Le petit-gros ! Il s'assoyait toujours près de la porte. Un psy, en plus ! Il n'y a pas sur terre plus fêlé du chaudron que ces fouille-merde ! Il n'aura pas apprécié que je lui coupe l'herbe sous le pied. Mais pourquoi avoir attendu treize ans et avoir assassiné douze autres personnes avant de s'en prendre à moi ? Je sais que les meurtriers en série procèdent selon une logique qu'ils sont seuls à comprendre, mais tout de même !

Il faut que j'aie une conversation entre quat' z'yeux avec ce Jivaro des neurones. J'ai tôt fait de retrouver son adresse. Il habite rue Saint-Denis, cette petite rue huppée qui longe la Citadelle en haut du Cap-aux-diamants.

Pourtant, j'hésite. Je devrais peut-être me livrer aux flics et leur expliquer que si j'avais tué ces gens, il aurait été stupide de ma part d'expédier cette photo incriminante au journal. C'est donc quelqu'un d'autre qui l'a fait pour me perdre et c'est lui l'auteur des crimes. C.Q.F.D.

J'entends d'ici le procureur de la Couronne démolir cet argument en trois volées de manche : « Ruse machiavélique au second degré, mesdames et messieurs les jurés ! Le cerveau brillant de ce dangereux psychopathe a monté ce scénario pour se disculper par l'absurde. La faiblesse de ce raisonnement réside justement dans sa trop grande force ! Ce geste est tellement insensé qu'il ne peut pas l'avoir fait; donc, il l'a fait pour détourner les soupçons ! Admirez l'audace de l'astuce, mais ne la laissez pas vous berner ! »

Je n'ai plus le choix. On me cherche à Montréal, je vais donc me rendre à Québec. Ma « BSW » devrait tenir le coup jusque-là. Je ne suis pas en état de conduire mais je m'en fous. On ne peut pas me retirer mon permis, je n'en ai pas. Avant de partir, je glisse dans ma ceinture un petit Beretta que j'ai conservé de mes années de vie semi-interlope. On ne sait jamais à quel moment le goût du néant peut vous venir...

Je débarque rue Saint-Jean en plein festival d'été. Il fait beau et le Vieux est noir de monde. Malgré la foule, l'ambiance reste calme et feutrée. Québec n'a pas changé d'un poil ! Cela tient sans doute à l'effet soporifique des berceaux; même celui de l'Amérique française n'y échappe pas.

Le Chantauteuil, par contre, a été rénové. Je reconnais vaguement quelques têtes. Le même pilier y tient encore sa cour à la table du fond. À l'époque, tous les commérages du quartier transitaient par lui. Pour faire circuler un cancan, on n'avait qu'à le lui souffler à l'oreille en exigeant le secret absolu. Une sorte de Publi-sac avant la lettre.

Je m'installe au bar et commande une bière. La barmaid me sert avec gentillesse et un sourire décontracté. Là aussi, la métamorphose est radicale. Dans le temps, les serveurs – tous des mecs – avaient plutôt la fâcheuse tendance à assimiler la mauvaise humeur à une forme d'intelligence.

Personne ne semble me reconnaître, sauf un type qui me dévisage. Après un moment, il se lève et fait mine d'aller aux toilettes. Il a beau essayer de conserver son naturel, il est clair qu'il vient de se produire un déclic dans sa tête. Ça doit être un physionomiste de talent : la frimousse d'ado attardé reproduite dans le *Soleil* ne ressemble pas beaucoup à la tête de *bad luck* humaine que je me coltine depuis quelque temps.

Je sors en catastrophe et je me perds dans la foule.

Sur la scène de la place d'Youville, Robert Charlebois essaie de faire croire au monde que l'âge n'a pas de prise sur lui. J'admire son courage, mais ne cherche pas à l'imiter. J'ai cessé de lutter contre le temps qui passe depuis que je me suis rendu compte que, au fond, nous naissons tous vieillards. Nous rajeunissons jusqu'à environ trente ans, puis le processus s'inverse et c'est le retour à la case départ. Il n'y a cependant pas de quoi en faire un plat ou une religion : il n'existe aucune raison de penser que le néant d'après la mort soit plus facile ou plus difficile à supporter que celui d'avant la vie. C'est dans le spasme précaire qui sépare ces deux infinies vacuités que se manifeste le vrai problème...

Le type qui vient de me reconnaître a dû faire son devoir de citoyen et la police sait que je me cache dans le Vieux-Québec. Il est urgent de rendre visite à l'énergumène qui s'acharne à balancer de la merde dans mon karma...

Cinq minutes plus tard, j'arrive rue Saint-Denis. En apercevant le fleuve, une flopée de souvenirs ébréchés me reviennent à la mémoire. Un flot d'émotions m'envahit. J'avais oublié qu'en certains endroits, Québec pouvait être si belle. Quelques larmes aigrelettes roulent timidement sur mes joues. Des larmes d'alco... crodile, sans doute...

Tout près, un belvédère offre une vue étourdissante sur la pointe Lévy, l'île d'Orléans et les Laurentides. Jadis, il m'arrivait de terminer ici certaines nuits torrides de juillet en compagnie d'une fille rencontrée au hasard des virées dans les bars du Vieux. L'époque était fébrile et on sautait facilement aux conclusions sans s'embarrasser des hypothèses de travail. On ne parlait pas encore d'investir dans une relation ni d'en faire le bilan. La faillite du couple ne se liquidait pas non plus dans des ateliers de croissance personnelle. La dope qu'on s'envoyait n'inclinait pas à gérer sa vie affective comme une PME.

On procédait plus simplement sur ce belvédère. Ma partenaire s'appuyait contre le garde-fou et je me plaçais derrière elle. Tournés vers l'est, on faisait l'amour debout en guettant l'approche de l'aube. De cette façon, on appliquait à la lettre le célèbre aphorisme de St-Exupéry : « S'aimer, ce n'est pas se regarder l'un l'autre; c'est regarder ensemble dans la même direction »...

Le plaisir nous envahissait au même rythme que l'heure bleue tournait à l'orange. Pour ajouter encore à la volupté, on se donnait l'illusion de communiquer avec le cosmos en s'arrangeant pour jouir en même temps que le premier rayon de soleil pointait à l'horizon. Comme dans un ralenti cinématographique, le faisceau de photons perçait l'air, percutait nos rétines et venait se mélanger aux myriades d'étincelles qui éclatent dans le cerveau au moment de l'orgasme. Illuminés autant du dedans que par le dehors, nos paupières se refermaient dans l'espoir fou d'emprisonner cette indicible extase. Si nos pieds restaient désespérément rivés à la terre, pendant quelques trop brèves secondes, nos têtes s'éclataient dans les étoiles !

Revenir d'un tel éblouissement cosmique n'est jamais facile. C'est pourquoi je préférais rouvrir les yeux devant le fleuve où scintillait la lumière diffuse du petit matin que m'éveiller coincé entre les quatre murs d'une chambre bordélique et surchauffée.

Je me secoue pour faire taire la nostalgie qui m'étreint. Je ne suis pas venu ici pour me repasser de vieilles bandes vidéo pleines de trous. Ma liberté est en jeu; c'est la dernière chimère que je daigne encore poursuivre.

Le petit-gros habite un de ces condos cossus aménagés dans l'enceinte de l'ancien conservatoire d'art dramatique incendié en... 1980. Des cages à lapins de rupins; inutile de prétendre entrer là-dedans sans montrer patte blanche. Je décide donc de sonner et d'improviser un prétexte.

Mais au moment où mon doigt va appuyer sur le bouton, quelqu'un surgit par derrière et me plante un objet métallique entre les omoplates.

Je me retourne aussi sec, prêt à me défendre. Un cagoulard plutôt petit de taille me braque un énorme parabellum sous le nez. Qui c'est, ce zigoto ? Le petit-gros ?

– Du calme ! sinon… Retourne-toi vers la porte…

J'obéis.

– Je savais que tu mordrais à l'hameçon. Tu as toujours été aussi fort en déduction qu'en cynisme. Mais là, ton cerveau vient de te jouer un mauvais tour. Ton côté cynique appréciera…

Il vrille le canon de son arme dans mon dos et sonne à la porte. L'interphone nasille un « Qu'est-ce que c'est ? » impatient.

– C'est moi, Gaston, fait simplement le cagoulard.

– J'arrive.

Aussitôt que le pêne sort de sa mortaise, le cagoulard me pousse brutalement à l'intérieur. J'entre en collision avec un être assez freluquet. Sous l'impact, celui-ci perd l'équilibre et va se heurter la tête contre le coin d'une table en métal massif.

Le cagoulard s'approche et le retourne du pied. Même s'il a changé, je reconnais l'ancien petit-gros. Je me suis trompé de tueur… Le sang gicle d'une méchante blessure à la tempe. Pas la peine d'appeler une ambulance, ces yeux vides en disent plus long qu'un certificat de décès…

– Voilà une bonne affaire de réglée ! On va pouvoir causer.

Le cagoulard se laisse tomber dans un divan profond en continuant de braquer son arquebuse sur moi. Du diable si j'y comprends quelque chose !

– Te voilà maintenant vraiment coupable de meurtre. Treize ans que j'attends ce moment. Assieds-toi, je vais te raconter une histoire édifiante. Pour que ma vengeance soit totale, je dois tout te dire. Le seul fait de savoir que tu vas ruminer cela pendant des années au pen de Donnacona met du baume sur ma blessure. À ton tour d'en baver, mon salaud !

Je prends place dans un fauteuil en me demandant à qui j'ai affaire. Il poursuit :

– Tu as toujours su tourner, d'une simple remarque, n'importe qui en ridicule. J'ai été une de tes victimes. Dans la nuit du 20 mai 1980, tu as dit de moi : « Ce type-là est encore plus laid qu'un code postal ! » J'aurais pu oublier l'affaire; je croyais en avoir entendu d'autres et cette méchanceté paraissait, à l'abord, banale. C'est quand on s'y arrête qu'on en perçoit le côté monstrueux. Et plus on y pense, plus elle devient terrible. Par cette simple phrase, tu as mis en image la quintessence même de ma laideur.

« Chaque fois que j'adressais une lettre ou en recevais une, le dard s'insinuait plus profondément en moi. Mes rêves n'ont pas tardé à être peuplés de G1R 2P6, de H4S 1X3, et d'un tas d'autres difformités graphiques du genre. De jour en jour, l'obsession grandissait. Lorsque je rencontrais une femme dans un café, je redoutais que ma tête ne se transforme tout à coup en C0N 1K0. Quand venait le temps de faire l'amour, je craignais que mon sexe ne se métamorphose en M0L 7P7.

« Depuis, ma vie est un enfer permanent. Cinq ans de thérapie avec Gaston n'y ont rien changé. »

Qui c'est, ce malade ?

– La semaine passée, le hasard m'a fourni le moyen de me venger sans encourir le moindre risque. Lorsque j'ai appris l'assassinat de Bhali Vernes, j'étais en train de classer de vieilles photos...

– Je pense que je devine, la suite. Tu es tombé sur ce cliché et tu t'es rendu compte que tous ceux qui figuraient sur les trois quarts droits, à part Violette et moi, étaient décédés de façon violente. Après le suicide de Violette, tu as trafiqué la photo de manière à en exclure les autres survivants et tu l'as envoyée au *Soleil*. L'idée était de faire croire à une série de meurtres dont j'aurais été l'auteur.

– Bravo ! Les médias sont friands de ce genre d'histoires qui mettent en cause des vedettes comme Bhali Vernes. J'étais certain que tu serais informé qu'on te recherchait.

– Je suppose que c'est toi également qui as arraché les pages du journal de Violette. Dans quel but ?

– Pour mieux t'appâter ! Je savais que tu avais été son amant.

– Tu ne pouvais quand même pas prévoir son suicide !

Il va à un classeur et en extrait un dossier qu'il me tend.

– Tout est là-dedans. Elle suivait une thérapie avec Gaston depuis deux ans. Il me racontait tout. Violette était entrée dans un cul-de-sac. Elle ne pouvait plus voir Vernes en peinture, pas plus qu'elle ne pouvait supporter de l'avoir assassiné.

– Si on m'avait arrêté, j'aurais pu me disculper. Je n'ai pas mis les pieds à Québec depuis treize ans.

– C'est pourquoi il fallait que je t'attire ici avant que la police t'attrape. Mon scénario prévoyait que j'entrais avec toi chez Gaston et que je le tuais aussi-tôt. Ensuite, je t'assommais et je te mettais mon pis-tolet entre les mains. Quelques minutes avant que tu sortes des vapes, j'aurais appelé la police en prétendant être un voisin qui a entendu des bruits suspects. En fouillant dans les affaires de la victime, les enquêteurs auraient retrouvé une version intacte de la fameuse photo de groupe.

« Tu t'es chargé de la première partie du programme, il ne me reste plus qu'à en exécuter la deuxième... »

Il se lève et vient vers moi, le corps secoué par un rire dément. Je tente un coup de poker désespéré :

– Ta combine est parfaite, sauf en ce qui con-cerne un détail : pour qu'elle fonctionne sans risque, je dois rester en bonne santé. Si je crève ici, tu vas te retrouver dans de beaux draps. Je ne tiens pas beau-coup à la vie – et je vais te le prouver sur-le-champ.

J'extrais vivement mon Berettade de ma ceinture et je le colle sur ma tempe, chien levé.

Le type s'immobilise. Je parierais qu'il pâlit sous sa cagoule. Je joue avec le feu mais je n'ai pas le choix. Je continue de bluffer en ajoutant :

– Avant de partir de Montréal, j'avais déjà démonté une bonne partie de ton stratagème. J'ai couché tout ça sur papier et j'ai expédié ma dissertation à l'inspecteur Lebra...

– Tu me racontes des histoires ! grince-t-il.

– Je sais qui tu es. Tu n'as pas fait disparaître les pages du journal de Violette uniquement pour m'attirer ici. Elle y parlait forcément de toi. Les flics auraient très bien pu avoir l'idée de remonter cette filière.

– Toujours aussi beau parleur ! Mais cette fois, tu ne t'en tireras pas avec une boutade !

J'avance vers lui en gardant mon pistolet rivé sur ma tête. Je lui hurle au nez :

– Qu'est-ce que tu attends ? Vas-y ! Tire, espèce de faux-cul ! Si tu ne te décides pas, c'est moi qui vais le faire.

L'œil noir du parabellum me dévisage salement. Le type respire de plus en plus fort. Il sue tellement que sa cagoule lui colle aux tempes. D'abord, il n'y a que ses mains qui tremblent, puis tout son corps se met à tressauter comme un pantin manipulé par un parkinsonien. Il finit par laisser tomber son arme. Je le démasque sans qu'il oppose la moindre résistance.

Le concierge de la rue Saint-Flavien !

Lorsque tout est réglé, je repasse au Chantauteuil et je m'offre un... Perrier ! Au fond de la salle, une femme me sourit. Je m'approche et, en la regardant avec une intensité toute « Vernienne », je lui demande :

– Habitez-vous chez votre code postal ?

Elle pouffe d'un grand rire joyeux et rétorque :

– Est-ce un facteur déterminant ?

Tout d'un coup, je commence à m'ennuyer sérieusement de Québec... Au diable Borduas ! Je pense que je vais y rester et essayer d'être un peu moins peau de vache...

Le temps d'un thé
Geneviève De Celles

LE TEMPS D'UN THÉ

Geneviève De Celles

L'année où le Chantauteuil ouvrit ses portes, GENEVIÈVE
DE CELLES étudiait à l'Université Laval. Elle a d'abord travaillé
en sciences humaines et en éducation pour ensuite choisir de
se consacrer aux arts visuels. Une partie de sa recherche prend
la forme de sculptures-dessins en fils métalliques. Depuis
quelques années, la création littéraire apparaît aussi dans sa
pratique professionnelle. Elle a publié quelques textes dans
des revues littéraires, dont *Stop*, *Le Sabord* et *Mœbius*.

Il est dix-huit heures. Leurs regards se cherchent et se fuient au-dessus de la nappe océane. Leurs mains s'aventurent dans la petite jungle posée en bordure de la fenêtre. Elles s'y effleurent. Les instants ont la lenteur des herbes. Silencieuses.

Sur ma table, un verre de bourgogne, mon éternel carnet, et le livre que j'ai acheté en sortant du cinéma. J'ai devant moi – quelle chance ! – un peu d'espace, un peu de temps pour laisser divaguer ma plume. Au fil de ses questions sur ce qui l'entoure et sur ce qui m'habite.

Les deux clients que j'observe dans le miroir reçoivent leur boisson. Elle est très chaude. Un impalpable rideau s'élève. J'assiste au rendez-vous d'une femme et d'un homme. Histoire de m'amuser un peu, je les nommerai Alice et Marcel. Des prénoms qui ont le pouvoir de m'emporter ailleurs. Ils m'invitent dans des labyrinthes où j'aime bien m'adonner au jeu des reflets. À la poursuite de l'altérité.

Leurs mains caressent les galbes de porcelaine; elles taquinent les anses, ondulantes. Alice soulève sa tasse. Elle en apprécie la forme, souriante. La vasque s'entrouvre, généreuse; une frise arabesque s'y offre un joyeux tour du monde. Aux confins d'une dernière courbe, un fil d'or. Alice, du bout des doigts, en retrace le pourtour. La porcelaine émet un inaudible son. Elle jubile, belle et secrète. Marcel promène sa tasse sur l'étendue feutrée; derrière son geste, un léger parcours s'imprime. Il fait tourner la belle sur elle-même. L'oreille de porcelaine s'affirme, disparaît, revient; comme l'aile fugitive d'un mystérieux carrousel. Au gré d'un temps circulaire, une tasse se révèle. Une main s'aventure sur l'océan glacé. Elle épouse le parcours d'un léger sillage, puis revient, songeuse, à son galbe fiévreux. Je repense à *Marienbad*, au film que j'ai aimé revoir la semaine dernière. Séduisantes promenades de l'immense à l'intime. Les lèvres de Marcel sont maintenant toutes proches du nectar. Son regard s'y noie. Perçoit-il un abîme dans ce petit lac d'ambre ? Son âme s'y livre-t-elle aux jeux de la métamorphose ?

Mon regard quitte cette scène où deux personnages posent pour moi sans le savoir; je m'accorde quelques instants panoramiques. Fenêtres, tableaux et miroirs me redisent leur forme, m'offrent leurs variations. Une tuile, inégale sous mon pied, me signale sa présence; elle me taquine la mémoire. Au plafond, une araignée tisse le temps. Elle s'élancera bientôt dans le vide et deux espaces s'en trouveront imperceptiblement liés. Je reviens à ma coupe. Je trace un cercle autour de sa base. Dante me visite. Les cercles se multiplient. Une cible se forme. Elle éclate. Couleurs et vertige. Delaunay me propose d'invisibles tableaux : des fenêtres joyeuses, des carreaux, libres, et des tours Eiffel qui tanguent ! Je m'amuse. Rêveuse, ma main, lisse devant moi la surface de tissu. Un écran apparaît : l'espace ludique de ma prochaine heure de liberté. J'y retrouve *La Leçon de piano*. Des séquences qui tout à l'heure m'ont fait grande impression, s'emparent de mon esprit.

Aux rives d'un océan, une barque en péril. Un piano sur le sable échoué. À ses côtés, une femme, une enfant et un trop lourd silence.   La jungle. Des indigènes. Un étranger consulte l'ovale d'une photographie miroir.   Ils parviennent à la plage; mais c'est avec un jour de retard.   Une crinoline. (Est-ce une cage ou une chrysalide ?)   On refuse d'apporter le piano. Sur la page blanche d'un carnet de métal, les mots de la dame muette protestent. En vain. L'enfant plaide à cor et à cri. En pure perte. La caravane s'ébranle. Efforts et détresse. Sur la grève infiniment déserte, magistral, un piano se languit.

Je retourne auprès d'Alice et de Marcel. Leurs regards se frôlent, discrets. De temps à autre, une chaleur sur les lèvres, sur la langue, au palais. À la gorge et à l'âme, une douceur. Une main replace tendrement une tasse dans sa barque; elle s'attarde sur le rivage. À mille lieues d'une autre main qui vagabonde près du lampion. Qui rêve de se consumer. Au bord de la fenêtre, la petite *forêt vierge folle* franchit son crépuscule. Les lierres ne s'y fraient plus qu'un chemin de pénombre.

Parmi les fougères, un piano déambule. Il écarte les lianes, il trébuche, il s'enlise. Il s'agrippe et se relève. À force de bras, il parvient à bon port; il gagne la maison du jouir.   Il habite un espace de petites et de grandes sensations.

Sur les tables autour de moi, des natures mortes s'improvisent. Je retrouve des images de *Tous les matins du monde*. Je me fais du cinéma. Je crois entendre Marin Marais. Je crois voir une toile ancienne : un carafon de vin, quelques biscuits sablés et une partition, frémissante sous la lumière d'une bougie. J'aperçois un fanal. Il s'engouffre dans la noirceur et dans le vent. Deux hommes en grande cape visitent un peintre et son atelier. (Le pinceau, est-ce un archet ? Est-ce un fleuret ? Est-ce une libellule ?) D'autres scènes me reviennent. Sur la rive, légère, une barque. Et une dame; elle est grande, elle est blanche. Mais tout cela ne serait-il que mirage et fausse colombe ? Un homme s'interroge. Dois-je apprivoiser *le tombeau des regrets* ? Dans une cabane, quelque part en forêt baroque, des tendresses se jouent; cordes sensibles et rythmes sacrés. Au travers des deuils, un chant de lumière. Une viole, bouleversante de dignité, s'alanguit. Un regard clandestin cherche à s'emparer de l'œuvre. Elle est si belle que le voyeur en a l'âme et l'oreille ravies.

Le jour baisse. Autour de moi, on s'affaire. Quelques pas, un geste. Une flamme surgit. Des lueurs et des ombres. Je pense au peintre de La Tour. Il aurait su magnifier l'existence de ces gens que j'observe alors qu'ils prennent le thé. Leurs visages s'auréolent de mystère et de précarité. Leur présence ne tient qu'à un souffle. Je les regarde vivre quelques instants de leur *je*, quelques instants de leur *nous*. Je leur en vole le spectacle. Ils me touchent sans le vouloir. Je les avale sans le leur dire. Et le temps passe. Lentement. Je bois. Je suis une clepsydre. Page blanche, vin rouge et encre noire : mon alchimie.

Cette femme que je prénomme Alice vient de placer un châle sur ses épaules. Qui rêvent de la chaleur des mains de l'autre. Le drapé déborde sur la table, une frange se prélasse. Elle s'adonne à un jeu de patience. Tandis que la main de Marcel voyage d'un objet, d'une rive à l'autre, comme un Ulysse au gré des vents. Des siècles s'écoulent.

La dame sans voix effleure du bout des doigts et de l'âme, le piano retrouvé. Il vibre de tout son être. Touches blanches et touches noires. Harmonie et reposoir, tendresse et grand soir. Une passion se dévoile. Mais le regard d'une enfant s'en empare. Rumeurs, ruptures et tristes images : la dame, jupe noire et coiffe blanche, perd son amour et son chant.   Réunion mondaine. Un éventail s'écarte : en plongée, une tasse apparaît. Elle crève l'écran. Image mirifique.   Soirée d'ombres chinoises. Une clé. Et sous la menace d'un couperet, une main. Les indigènes s'en prennent à Barbe-Bleue; ils saccagent les coulisses de son château.

Dans le miroir-fenêtre, je regarde mes figurants. Ils s'apprêtent à savourer un autre thé. Nuagelet et morceau de sucre. Le petit cube blanc absorbe le liquide ambré. Je revois la tasse de Julie. Je revois Olivier. C'était dans le film *Bleu*. J'entends la petite phrase d'une flûte mystérieusement retrouvée. Des sensations éparses soudain coïncident. Au creuset de l'émotion, passé et présent se fusionnent. Mémoire velours et sérénité. *Luxe, calme et volupté.*

J'oublie un peu *La Leçon de piano*. Pour que s'estompent les ténébreuses images des mœurs victoriennes. Je me mets à la recherche de la lumière; celle de Nice, d'Alger, de Tahiti. À la recherche de la liberté, auprès d'un créateur joyeux. Je m'invite chez Matisse.

Mon nouveau livre : *Une splendeur inouïe.* J'admire un premier tableau. Une plage, un horizon, quelques baigneuses. Auprès d'elles, un arbre-mat et une barque. Le soleil qui miroite. Une invitation. Sur le sable, une nappe blanche; une théière et quelques tasses s'y exposent. Je tourne la page. Je contemple un autre tableau. La table est toute noire, la tasse petite et bleue. Ailleurs, le carrelage est noir. Une tasse blanche repose sur un fauteuil rocaille, comme une perle dans sa coquille béante. Autre page. Un intérieur; sur l'échiquier, une autre tasse. Sur une marquetterie, auprès d'une odalisque, encore une tasse ! (Moi qui regarde souvent les fenêtres, les fauteuils, les natures vives d'Henri Matisse, jamais je n'avais noté que la tasse fût si présente dans la petite coterie de ses objets-modèles préférés.) Un autre tableau : *Nature morte au coquillage sur marbre noir.* Encore et toujours une tasse. Ici, elle s'accompagne d'une valve rosée, d'une porcelaine des mers.

Le tintement d'une cuillère vient de me toucher l'oreille et de me taquiner l'esprit. Cet homme que j'observe ressemble-t-il au personnage de Marcel dont Proust me fait présent dans sa *Recherche* ? Est-il l'être inquiet et fascinant que je retrouve à loisir, au pays du temps perdu ? Cherche-t-il à savoir qui nous sommes ? Je m'amuse à le croire. Il fréquente les salons, les marquis et les voyages en train. Dans son esprit, le seul nom d'un endroit fait surgir tout un univers et le fragment d'une phrase musicale est une lanterne magique. Apercevoir des arbres, un clocher, quelques fleurs, suffit parfois à le troubler. Le dénivellement d'un pavé le fait chavirer. Il sait qu'au jeu de la mémoire, les émotions se fondent et que l'éventail du temps, quelquefois, se referme pour nous. Serais-je semblable à cet homme que j'observe ? Serais-je de ceux que le cours du temps obsède ?

Je suis Marcel. Dans un vaisseau de porcelaine, je voyage. Des frontières de mon âme, je traverse les siècles.

Les plaisirs et les jours *s'enlacent entre mes mots.*
Ailleurs surgit ici. Me voilà entre je *et un autre. Sous*
mes yeux se déploie la dentelle des Parques. Je cherche au
cœur des mots le plein centre des choses.

Je reviens à Matisse. Je regarde la *Figure orne-*
mentale sur fond décoratif. Luxuriance d'arabesques et
de fleurs. Quelque part se devine un miroir. Une
femme est assise presque nue. Elle affirme sa pré-
sence. Hiératique. Près d'elle, dans un grand pot de
porcelaine blanche, un arbrisseau se dresse. À moins
que... Est-ce une tasse aperçue de très près ? Cette
plante lacustre, est-elle une figure de l'arrière-tapis-
serie ? L'angulaire dame est-elle une statue ? J'aime
le pays des peintres. L'espace et le temps s'y amu-
sent. Comme dans les livres, comme dans les rêves.
Ils nous échappent.

Alice, la dame que j'observe, mange un gâteau.
Est-ce que, sous ses yeux, le monde varie ? Ressem-
ble-t-elle à la merveilleuse enfant du conte de Lewis
Carroll ? J'aime à le croire. Je fais de cette femme un
personnage. Ainsi, je pourrai retrouver sa présence
quand bon me semblera. On peut toujours replon-
ger dans les pages d'un livre. Je m'évade dans les
pas d'Alice. *De l'autre côté du miroir.* J'aime savoir
qu'elle traverse les apparences et les chagrins. Dans
son histoire, un Chapelier fou ose dire qu'il est tou-
jours dix-huit heures; qu'il est toujours l'heure de
prendre une tasse de thé. Dans la mienne, un Lièvre
de Mars a plongé sa montre; je la vois s'évanouir.
Étrange madeleine et langoureux Dali. Je revois un
tableau. Il a pour titre *Persistance de la mémoire,* mais
les gens se plaisent à l'appeler « Les montres mol-
les ». Sous le regard des créateurs, l'espace et le
temps se fondent. Un cavalier blanc m'est apparu.

(Est-ce hier ? Est-ce aujourd'hui ?) Il me parle des jeux du temps. D'une voix noire, il me redit : *le bel aujourd'hui* ne survient qu'après le demain; et le bienheureux hier se révèle longtemps après l'éphémère présent.

Mais tout cela ne serait-il qu'un rêve, qu'une histoire à me garder debout ? Entre les gens, les images, mes fantômes et moi-même, j'oscille. Qui, quand et où suis-je, je ne sais plus très bien. Serais-je semblable à cette dame que j'observe ? Serais-je de celles à qui un simple thé pose toute une énigme ?

Je suis Alice. De qui suis-je le rêve ? Où est-allée ma nuit ? Espace et silence me mettent en chute libre. Je visite une reine, on me fait un procès. Mille songes, un bocal, une clé : je suis mis en abîme. Je suis en miroir à perpétuité.

Les yeux d'Alice et de Marcel se courtisent. Quelques mots s'élancent dans l'espace sidéral. Quelques funambules, craintifs. Un voile de silence retombe. Un espace s'éternise. Une soucoupe s'aventure jusqu'aux frontières de l'autre. Les auréoles se touchent et les anses se rapprochent; sur la nappe, un jeu d'ombres les unit. Et puis tout disparaît. Sauf leurs sourires, légers dans l'espace.

Je retourne au miroir de mon livre. Je bourlingue d'une image à l'autre. L'artiste m'offre ses fenêtres, ses rideaux, ses surprises. Un bocal, quelques poissons. Comme des flammes aquatiques. Un vase, des arums. Des narcisses peut-être. Ailleurs, un miroir. Noir. Une provocation. Je le dévisage. D'une voix claire, il me parle.

Je suis miroir, je suis « qui suis-je » et je réfléchis tout. Je suis du pays des contes et du pays des légendes : je dévoile en toute liberté le chant de l'être et du paraître; et parfois, je murmure un devenir. Quand une cantatrice fauve en ma présence s'émerveille, je me fais sage et bien poli. Je suis miroir, je suis muet, mais je dis tout. Je suis au seuil de l'éternel « qui suis-je ».

Dans la glace, j'aperçois mon carnet et mon livre; ils figurent dans une nature morte où c'est mon vêtement qui tient lieu de drapé. Serais-je Matisse ? Serais-je celui qui dessine une odalisque dans un miroir ?

Je suis Matisse. Qui toujours veut que la ligne soit libre comme une sève en son parcours. Sous son geste, la présence et l'absence des formes s'épousent. Ses courbes ne sont pas folles. À son œil, à sa main, tout est signe et recherche d'absolu.

Dans les œuvres du grand fauve, je me cherche et je me perds. Joyeux citrons et tapis persans, riches plafonds et miroirs profonds. La splendeur orientale y parle en secret de calme et de volupté. Mille et une légendes me parlent de sa vie. À la tombée du jour, le prince du Cateau se rend au Café Le Dôme. Il savoure une tasse de thé. Puis il retourne à l'atelier. Il se dessine dessinant une odalisque en son miroir.

Aragon nous le dit : Matisse a peint pour *empêcher le soir des choses.* Dans ses espaces, les objets parlent, les formes dansent; regard et sentiment coïncident. Au jeu des figures et de l'absence, il aiguise mon âme. Elle retourne, sensible, flâner entre les choses, vivre parmi les gens. Tout voir et tout revoir.

Deux personnes prennent le thé. Elles prennent aussi le temps. De s'aimer en silence. En beauté. Au risque de se perdre, au risque de se dire. Au risque d'aimer à loisir. Je l'ai nommée Alice. Je l'ai nommé Marcel. Le temps de m'amuser un peu; au pays qui nous ressemble.

Dans le miroir, je trouve mon image, mon livre et sur le mur, derrière moi, un tableau : *Les poissons rouges.* Je suis captif de leur décor. Quelques feuilles, quelques fleurs et le fragment d'une chaise composent un paysage. Le joyeux bocal exhibe son oblongue ouverture. (Est-ce un œuf ? Est-ce un œil ?) Je reviens à mon verre. À mon vin. Rouge. (Est-ce une mer intérieure ? Est-ce un océan à franchir ?)

Serais-je Gulliver ? Qui rêve d'aventure. Qu'on croit parfois être un géant, mais qui n'est que bestiole en fuite. Il me semble que je est ailleurs. Serais-je Robinson ? Où est mon Vendredi ? Quelle est en moi la vie sauvage ? À moins que je ne sois Gauguin ? Alors... qui sommes-nous ? D'où venons-nous ? Qui sont les Marquises ? Où sont les Maoris ?

Dans la brousse et dans le secret, touches blanches tendresse; touches noires désespoir. Colère et marteau font d'une maison un bien sombre cachot. Embrasures et jalousies. La dame prisonnière interroge un miroir; elle s'y donne un baiser. Elle réclame son rêve. Tendresse, vagues et mélodie. Fugitive. Lianes et sables mouvants ne sauront la retenir. Elle s'en fait la gageure.

Serais-je Philéas Fogg ? Je rêve d'un tour du monde. En quatre-vingts jours ou en quatre-vingts ans. Une idée fixe me poursuit, une question me harcèle : me manquera-t-il des heures ? Mais d'aventures en aventures, je m'éveille soudain. Je m'aperçois que la montre qui dort dans mon gousset me trompe effrontément lorsqu'elle croit me dire le temps. Elle oublie, dans son manège, que toujours j'ai voyagé vers l'est et que je jouis ainsi d'un jour de plus ! J'ai télescopé l'espace et le temps; je pourrai donc être fidèle à ce rendez-vous où, enfin, ce sera de nouveau l'heure de prendre le thé.

J'observe Alice et Marcel. Leurs regards s'amusent dans le jardin qui borde la fenêtre. Leurs mains se cherchent et se fuient sur la tendre immensité blanche. Voilà qu'elles se touchent, voilà qu'elles s'explorent. Des siècles s'écoulent. Savoureux. La flamme, fragile, se contemple sur leur peau dorée. Autour d'eux, insaisissable, la paroi d'un silence.

Des gens entrent, des gens sortent. J'observe, j'écris. La flamme vacille. Ma page frémit. Je hais les deuils. J'aime les immortelles. Les noms, les êtres et les lieux qui perdurent. Je les célèbre.

Je suis au Chantauteuil. Dans la glace, j'aperçois Brel, Brassens, Ferré. Je me retrouve à Paris ! Je suis au Lapin agile, je prends un verre... Je suis Picasso ! Me voilà soudain en Espagne; au seuil d'un château de cartes, je suis le fou du roi. L'espace et le temps foutent le camp... Je suis Diogène ! Je fréquente Le Chien agile. Je palabre et je bois, à la poursuite de l'humain. Se pourrait-il qu'au plus profond d'un tonneau de vin, sommeille la lumière ? J'ouvre l'œil.

Qui va là, en pleine jungle, en pleine nuit, une lanterne à la main ? Un homme qui a peur. Que cherche-t-il ? Qu'apporte-t-il ? Violence et chagrin. Tristesse et délire. Se pourrait-il que tout ne soit que cinéma ? Une enfant dort. Elle songe à la mer. Touche blanche, touche noire et visage aimé. Un chapeau se déploie comme un bel éventail. Quand donc viendra l'éternité ?

Au-dessus de ma tête, l'araignée du soir fignole son ouvrage de passementerie. Elle se moque des fuseaux. Elle fait bien son métier. Je reviens à mon carnet, à mon travail et à mon horizon lumière. Je visite des contrées imaginaires où, pour défier le sort, une plume de métal me tient lieu de lance.

Serais-je Don Quichotte ? Moi qui voyage dans les livres. Moi que le vent transporte et que les jeux d'aubes enivrent. Dans mon histoire, il est cent personnages et un chevalier aux miroirs. Voilà qu'il me sourit. Voilà que j'ai des ailes. Serais-je Icare ? Il rêve d'altitude et la légèreté de son désir le met en péril.

Je suis un de ces êtres volages qui, dans le filet des formes et des mots, pourchassent l'espace et le temps, volages. Je suis celui qui savoure, qui dessine, qui écrit. Qui rêve. Celui qui cherche des signes. Du côté de chez soi et du côté de l'infini. Un de ces personnages fous dont la plume s'élance dans l'immensité blanche pour y tracer quelques lignes. Pourtant je sais bien qu'à la surface des eaux, les ailes de papier sont souvent naufragées.

Une enfant regarde le baquet où ses rêves s'étiolent et se noient.   Sur la rive d'un horizon mystère, un chant d'adieu s'élève, primitif. Une jeune dame indigne, magnifique, gagne le large. Tangage et roulis.   Hors d'une barque, en pleine mer, un piano bascule et une dame sombre avec lui. Elle s'agite, elle fabule; elle émerge, elle existe.   Une barque. (Est-ce un berceau ? Est-ce un tombeau ?) Le silence. Une nappe océane. Un calepin, quelques notes. Un clavier. Un doigt de métal. Des rêveries.

Des gens arrivent, des gens partent. J'écris. Deux personnes prennent le thé. Je retrouve des images de Woody Allen. *Alice.* Je la vois : elle porte un chapeau rouge, vibrant comme une auréole. Elle regarde fixement une cible. Blanche et noire. Une spirale. Voilà qu'elle a rendez-vous. Il est musicien. C'est dans un miroir qu'on les aperçoit. Il est dix-huit heures. Le temps de l'éternel thé. Les regards se cherchent. L'espace et le temps m'échappent. À la surface d'une page océane, ma main navigue vers l'est. Il est moins tard qu'on ne le pense. C'est toujours l'heure de prendre le thé.

Midi moins dix
Marie Rioux

STATIONNEMENT DE NOËL

Claudine Lévesque

Bachelière en communications, CLAUDINE LÉVESQUE travaille depuis 1978 dans les domaines de la radio, du journalisme et de la rédaction. Elle a enseigné les techniques radiophoniques à l'Université du Québec à Rimouski et dans différents cégeps. S'intéressant à la nouvelle et au roman, elle a, entre autres, publié dans la revue *Stop*.

Je suis une crack du stationnement. Envoyez-moi n'importe où, n'importe quand, tant que je me trouve dans un petit char, je me stationne dans les... six minutes qui suivent mon arrivée sur les lieux. Dix minutes maximum. Le plus souvent, ça en prend moins de trois. Et devant la porte.

Il y a les coins. Fantastiques les coins. Personne ne pense aux coins. Ils sont pourtant exempts de parcomètre, faciles d'accès. Les automobilistes passent devant, convaincus que leur gros char ne rentre pas là-dedans, mais la plupart se font des accroires et magnifient (surtout auprès de leurs voisins) les dimensions de leur automobile.

Il y a aussi ceux qui croient dur comme fer qu'ils n'ont pas le droit de se stationner là où il n'y a pas de parcomètre. Seigneur ! Ce que les gens sont obéissants ! Dociles !

En tout cas.

Une fois sur deux... sur trois, l'espace disponible aux coins est assez grand pour accueillir un petit char sans aucun problème.

Quand je dis sans aucun problème, il faut s'entendre. Il ne faut pas prendre sa carrosserie pour la prunelle de ses yeux. Il faut savoir appeler un char un char et ne pas avoir tendance à se sentir socialement diminué s'il est bosselé, voire simplement sale. Autrement dit, il faut assumer les risques que suppose l'existence des chauffards, ceux qui pensent que ça passe quand ça ne passe pas. Deux fois je me suis fait amocher les ailes. Ou bien donc on endure la poque ou bien donc on endure la hausse de ses assurances. C'est selon.

Je suis une crack du stationnement. Ça prend de bons yeux, de bons réflexes et de bons nerfs. Tout en conduisant, il faut voir de tous les côtés à la fois; avoir l'œil pour repérer les espaces qui en valent la peine. Quelque chose se présente, il faut se jeter dessus; un œil dans le rétroviseur, clignoter, se faufiler, freiner : bingo. La place est de l'autre côté de la rue, c'est pareil : pratiquez votre virage en U. Souriez aux badauds, aux automobilistes ou à vos passagers qui n'en reviennent pas. Prenez leur ahurissement pour un compliment.

———————

C'est avec l'assurance de mon invincibilité qu'un beau matin de fin décembre j'envisage d'aller à la basse-ville pour faire des emplettes de Noël. Je dis un beau matin... Je dois quand même spécifier qu'il neigeait encore un peu, qu'il s'agissait du 22 décembre et qu'en fait de matin, c'était plutôt l'heure du midi, mais bon... est-ce important ?

Simone (c'est mon char) démarre. J'embraye. Un peu plus bas dans la rue, un chauffeur de taxi aide une vieille dame à escalader le banc de neige pour rejoindre la voiture immobilisée, elle, au beau milieu de la rue. Je ne m'énerve pas. Je suis d'accord avec ça les vieilles dames qui sortent. Je suis reconnaissante au chauffeur de l'aider. J'attends. D'ailleurs je ne me fâche jamais contre les piétons. C'est une question d'éthique. Je rêve d'arracher les yeux d'un automobiliste qui m'empêche de passer, mais je suis prête à grimper dans un poteau pour m'effacer devant un piéton. Oui, une question d'éthique. C'est simple et ça ne m'oblige pas à bretter derrière les téteux.

Les téteux, d'habitude, ils roulent au milieu du chemin, même s'il y a de l'espace pour deux voitures de front. Les téteux, ils chialent contre les piétons et sont prêts à les écraser en leur criant des bêtises. Aucune éthique les téteux, juste des règlements plein la tête. Dans un embouteillage, ils ne font pas attention à ne pas barrer le chemin des autos qui roulent sur les voies transversales. Ils ont des systèmes d'alarme plus bruyants que les sirènes des pompiers, pis ils s'en sacrent que ça réveille tout le quartier au passage de chaque camion. S'ils nous voient faire un virage en U ou tourner sur un cinq cennes, ils klaxonnent, effarouchés. On les a stressés les pauvres petits choux. Les téteux : quelle engeance !

———————

Après un petit cinq minutes d'attente, le taxi dégage la voie. Rien à signaler sur les cinq ou six feux de circulation suivants.

Des bagels ! Sur Crémazie, l'enseigne de la Fabrique de Bügel me saute dans la face et l'envie de croquer un bagel m'assaille. Justement, un petit trou se dessine le long du banc de neige. Signal, coup de roue, coup de frein. Quand on est chanceuse, on est chanceuse.

Douze bagels et du fromage à la crème. Dans le char, j'en mange un tout de suite, c'est sûr.

Midi. Ouan, ben y neige !

Crémazie, Cartier, Saint-Cyrille. C'est long, mais à la radio la musique est bonne et les bagels sont chauds.

Midi vingt-cinq. Dans la côte Turnbull, ça commence à m'énerver. Ça niaise en masse parce que ça descend.

Midi trente-cinq, j'arrive enfin sur Charest où mon espoir refleurit. Sur Dorchester, je n'ai encore rien trouvé (soupir). Une décision s'impose...

Fuck la basse-ville, je remonte dans le Vieux-Québec. J'enfile la Côte du Palais et me faufile à travers les chars qui « virent dessour » (Vvvv ! Vvvv ! font les petits pneus sur la glace). À l'intersection de l'Hôtel-Dieu, il me reste juste assez d'élan pour rejoindre la rue Saint-Jean : pas question de faire mon stop. Maudite affaire ! La police ! C'est pas vrai ! Cent piastres ! « Calvaire, la police ! Ayez pitié, c'est Noël pis y neige. » Je lui ai dit ça comme ça (sans le sacre), mais rien à faire, la naissance du petit Jésus ça n'émeut plus la police.

« Bon ben, dans quoi je coupe ? Qui, de mes pauvres enfants ne recevra pas de cadeau de ma part cette année ? » Ça non plus ça ne l'a pas ému. (Ce n'est pas trop grave, je n'ai pas d'enfant.)

Quand le chien méchant m'a fiché la paix, j'ai repris ma place dans la lente colonne de voitures. Au moins j'étais montée... Mince consolation.

Une heure dix. À peu près à la Côte de la Fabrique, j'aperçois une Chevette qui s'apprête à quitter sa place. En un éclair je fais mon virage en U et je m'arrête derrière elle. Une légère inquiétude me triture le cœur : je suis derrière et non devant la voiture. N'importe quel zozo pas poli pourrait me chiper cette place seulement en s'arrêtant à six pas devant moi. Mais j'hésite à m'avancer parce que, du coup, je rendrais plus difficile la sortie de la Chevette. C'est pas gentil ça. Je ronge donc mon frein, au propre et au figuré.

Ce qui fut dit fut fait. En moins de temps qu'il ne m'en avait moi-même fallu, une grosse américaine prétentieuse (je parle de l'automobile) vient s'immobiliser exactement là où je devrais être.

La Chevette décolle juste à ce moment-là, comme si elle n'attendait que cela, qu'une grosse prétentieuse vienne me voler ma place ! Le zozo pas poli ne s'est pas fait prier.

Je ne vais certainement pas laisser faire ce minable, ce malappris, ce mufle. Je descends de ma voiture, pas dans ce qu'on appelle communément un état, quelconque soit-il, je descends de ma voiture dans tous mes états : estomaquée, offensée, offusquée, écœurée, blessée.

« Aïe ! » Qu'il soit noir, blanc, jaune orange à picots, baraqué, balafré, jeune ou vieux, riche ou endetté (avec une voiture pareille, c'est nécessairement l'un ou l'autre), il faudra qu'il dégage ou qu'il s'explique. En fait, je m'attends à croiser le fer avec un vieux schnock, individu âgé entre 45 et 65 ans, parvenu, renfrogné du matin au soir, détestant toute personne ne pensant pas comme lui. Moi, je serai la femme respectable, encore jeune, bafouée par la muflerie de ce grossier personnage. Si la conversation vire à l'altercation, puis à l'échauffourée, les coups que je pourrai lui porter (vous voyez, je suis prête à tout) le scandaliseront et le saisiront probablement d'effroi. Rien que ça me comblera, moi, de joie.

Contre toute attente, descend de l'américaine un beau gars, mais pas trop, cuir et laine, cheveux en bataille, yeux clairs, qui me gratifie, dès qu'il m'aperçoit, du plus magnifique sourire qu'on ne m'ait jamais accordé.

Je me ravale. Vu mon étonnement et mon brusque changement d'humeur, je ne peux lui servir qu'un demi-sourire, une grimace sans caractère. Sur l'écran rose de mon décor blanc, je me projette déjà une scène où je le vois, ses yeux plongés dans les miens, repentant de l'impair qu'il a commis; en guise d'excuse, il me propose de le rejoindre dans une heure au Chantauteuil, pour m'offrir un verre. Un beau Noël en perspective, une Saint-Valentin inoubliable et le bonheur jusqu'à la fin de nos jours.

Dans les secondes qui suivent, tous mes projets d'avenir s'effritent. Éploré, à l'en croire, terriblement confus, ses raisons, plus extrêmes les unes que les autres pour justifier, dirais-je, sa prise de position, virevoltent avec les flocons. Tout en se boutonnant et en relevant son col, il me jette des regards brûlants bien étudiés, à travers de petits coups d'œil nerveux à la ronde, tentant de repérer l'issue la plus rapide.

Démoralisée est le terme approprié. Hargneuse aussi. Posant doucement ma main sur son bras, je hoche légèrement la tête, les yeux baissés. Quand mon attitude le convainc de se taire, prêt à recevoir l'expression de ma plus entière compréhension, je lève mon visage vers lui et jette mon regard le plus tendre au fond du sien.

– Oui, dis-je tout bas, c'est dur pour tout le monde, Noël, mais t'es quand même un beau salaud qui mériterait un coup de genou dans les couilles.

– ... ? !

J'enlève ma main de son bras en observant son sourire fabuleux se transformer en grimace sans caractère. Sa première réaction est de m'accuser d'être si peu magnanime.

– Ho ! fait-il, avec, dans les yeux, le reproche que l'on adresse au petit enfant qui, pour jouer, vient de nous administrer une gifle.

Maintenant de glace, je lui signale qu'il peut « arrêter son char ». La tête enfoncée dans les épaules, il scrute la rue, repère une ouverture entre les automobiles et les flocons et disparaît dans la circulation.

(« Ah ! comme la neige a neigé ! Qu'est-ce que le spasme de vivre. À tout l'ennui que j'ai, que j'ai !... »)

Vaut mieux que je reprenne le volant et que je crisse mon camp.

Je n'étais plus de bonne humeur dans cette tempête de merde ! Dans l'heure qui suivit, j'ai assassiné mille imbéciles, j'ai injurié (sans baisser la vitre quand même), les pauvres petites dames, les pauvres petits messieurs trop inquiets : « Estie d'gros porc, tasse-toé tabarnak ! » « Épaisse ! grouille sacrament ! » Le nombre de lumières qu'ils m'ont fait rater, c'est pas disable.

Depuis cinq minutes, accrochée à mon volant comme à une bouée, je gémis en versant des larmes. J'évite de me visualiser sirotant un café au Chantauteuil, si proche en même temps qu'inaccessible; ça fait trop mal. Je ne parle pas de ce que me font les images que je m'étais forgées de mon Noël et de la prochaine Saint-Valentin. Je ne pense plus qu'à stopper la voiture, détacher ma ceinture et sortir. Un bon café Dieu du ciel !

Pour arrêter le massacre, je décide d'abandonner la partie. Je rentre. Je déguerpis. J'essaie de sortir de cet « enfer, c'est les autres ».

À ce moment-ci de l'histoire, je devrais vous expliquer qu'en situation normale, je suis une fille plutôt calme et polie, dotée d'une ouverture et d'un sang-froid satisfaisants, qui aime les enfants et fait preuve d'une patience d'ange avec eux. Quand il s'agit d'attendre, ça se gâche un peu. Attendre que les autres, les Autres, se décident, comprennent, acceptent.

118

Avoir été une plante, je me serais révoltée : forcée d'attendre le bon vouloir de la température, ou pire, de mon propriétaire si j'avais eu le malheur d'être une plante de maison (Ô horreur !); je serais alors virée psychopathe : vénéneuse.

Pour l'instant, je suis plantée rue Sainte-Anne et je m'enfouis doucement sous la neige, derrière et devant la moitié des automobiles de la ville. J'ai éteint la radio avant de la casser, et pour me calmer, je suce un bagel en pensant à ma maman.

———————

Plus tard, beaucoup plus tard, en un laps de temps qui ne peut s'exprimer qu'en heures après J.-C., j'ai réussi à me hisser sur Saint-Cyrille. Il m'a fallu monter Sainte-Anne comme une enragée. Une ouverture infinitésimale s'est offerte à moi et j'ai foncé dedans. Plus polie du tout j'étais : une vraie furie lâchée lousse dans un décor de tôle à onduler. Je me sentais comme un tireur fou qui pousserait les gens de tout un quartier à se cacher derrière leur bureau. Le plus étrange, c'est que personne ne klaxonnait. J'avais l'air d'être seule à m'énerver.

Ça ne m'a pas calmée pour autant. Je possédais le contrôle de mon véhicule mais pas celui de ma personne. Ma légendaire assurance au volant s'était muée en illumination de kamikaze. J'avançais dans la neige, la gadoue et le marasme automobile à coups de klaxon, de volant, de roues et de freins. On aurait dit une montée au football.

Je n'ai pas d'excuse. Je ne peux pas vraiment dire que j'avais perdu les pédales puisque j'appuyais dessus avec beaucoup de conviction.

Finalement, ils ont très bien fait ça, les Autres : ils ont réussi des tours très savants pour éviter que je ne les emboutisse. Sur Burton, il y en a qui commençaient à avoir leur voyage quand ils m'ont vue monter sur le trottoir pour franchir les derniers trente mètres qui me séparaient de ma rue. Les piétons, surtout, n'ont pas apprécié. Pas que j'aie menacé leur vie, mais de leur avis, nettement, j'exagérais. Comme trop souvent dans ma vie, je me faisais mal comprendre : ce n'était définitivement pas la bonne façon de leur démontrer que, beau temps, mauvais temps, je suis de leur bord.

J'espérais de toutes mes forces voir s'ouvrir, dans la congère, une tranchée qui me permettrait de déboucher dans ma rue. Mais la pire horreur qui puisse apparaître à un automobiliste surgit à trois mètres devant moi, côté maisons : deux bambins dévalaient le banc de neige sur un tape-cul.

Les roues crampées du même côté (je n'allais pas retourner *illico* dans la rue, sans prévenir ni rien), les freins à fond, l'automobile a buté sur le mur de neige et s'est mise à faire des tonneaux. « Coucou les petits amis ! Simone et moi on vient jouer dans la neige avec vous. Yaou ! »

Pendant que j'atteignais le sommet du banc de neige, heureusement, les enfants descendaient.

Je ne suis pas allée bien loin. Premièrement, ma vitesse ne me permettait pas d'être projetée, disons, jusque chez moi, un petit deuxième que je loue pas cher, que l'on pouvait apercevoir du haut du tas de neige; deuxièmement, il y avait ce poteau, visible de la fenêtre de ma chambre, qui supporte justement le fil électrique qui alimente mon logement. Au second tonneau, Simone et moi sommes venues nous appuyer dessus, nez en l'air. Tous mouvements cessants, j'ai pu constater que je n'avais frappé personne, Dieu aussi était loué !

En ce 22 décembre, jour le plus court de l'année, le soir tombait. Mon moteur ne tournait plus, mes phares éclairaient le haut du poteau. Pour les raisons de sécurité que l'on connaît, j'ai retiré la clé de contact et éteint les phares. Cela a eu pour effet de remettre en valeur les lumières de Noël de la fenêtre derrière l'auto. Éclairée par elles, j'ai examiné mon corps pour constater les dégâts. Je ne ressentais aucune douleur, je ne voyais aucune marque; aucune déchirure ne dérangeait ma toilette. Pour Simone, je ne savais pas encore; les vitres, du moins, n'avaient pas éclaté. Un certain désorde régnait à l'intérieur. Les bagels, par exemple, n'étaient pas attachés au moment de l'impact.

En relevant la tête, j'ai croisé le regard du locataire de ladite fenêtre, qui, à l'intérieur de son cadre de lumières de Noël, me fixait avec des points d'interrogation dans les yeux. Il avait l'air de la couverture d'un numéro de Noël du *Times Magazine*. Je lui ai souri puis j'ai fermé les yeux pour relaxer un peu.

Les Autres s'assemblaient devant ma portière. Peu de mots s'échangeaient encore. Je n'entendais que de brefs « Doux Jésus ! » et « Ayoye ! » d'exclamation.

J'aurais préféré qu'il n'y ait personne. J'aurais voulu rester là encore un peu, enfin tranquille, mais la foule me réclamait. Pour me lyncher, pensai-je.

Leur expliquer qu'ils voyaient en moi l'une de leurs meilleures alliées n'arrangerait rien, j'en avais bien peur.

Les yeux toujours fermés, j'envisageais sur ce que me réservaient les prochaines minutes, quand j'entendis la portière s'ouvrir et, près de moi, une voix dire doucement : « Ça va ? » Le portrait du *Times* se tenait à mes côtés, sans bouger.

– Ça va.

Il me souriait. J'ai refermé les yeux.

– Vous demeurez presque en face, vous, non ?

– Oui, troisième maison à droite.

Un ange passa. Je sentais mon voisin qui m'observait toujours.

– C'est pratique ces petites voitures-là, ça se stationne vraiment n'importe où.

Sans le regarder, j'ai pouffé d'un petit rire.

– C'est pas fou, d'ailleurs, cette idée de les accrocher aux poteaux. Elles prendraient moins de place.

J'ai ri un peu plus franchement, puis je n'ai plus été capable de m'arrêter. Je ne riais pas très fort, mais j'étais secouée par une longue vague. J'ai porté ma main à mon front et je n'ai plus su si je riais ou si je pleurais.

Il a continué :

– Faudrait peut-être revoir la technique d'approche. Il doit bien y avoir moyen de la rendre plus simple.

Je laissais déferler la vague. Il n'a plus parlé avant que je retrouve un certain calme.

L'ange est revenu et s'est immobilisé au-dessus de nous. J'ai rouvert les yeux pour examiner le nouveau venu. Les ailes déployées, je l'ai vu décocher sur... je ne connaissais pas son nom, une flèche de son arc. (« Ha ! » fis-je intérieurement.) Lui n'a pas réagi. Content de sa performance, l'ange s'est retourné vers moi et, prenant son envol, m'a visé d'une seconde flèche. Je n'ai rien senti.

Assez interloquée, merci, je me suis tournée vers... comment s'appelait-il ? et l'ai fixé sans mot dire. Il me souriait toujours.

– Maintenant que vous êtes stationnée, je peux vous offrir un café ?

TABLE DES MATIÈRES

Reproductions des œuvres

DANS CETTE COLLECTION

Achevé d'imprimer
en novembre 1994 sur les presses
de l'imprimerie Richard Vézina ltée,
de Québec.